ingenious **LARGE PRINT WORDSEARCH**

ingenious LARGE PRINT WORDSEARCH

BEN ADDLER

ARCTURUS

ARCTURUS

This edition published in 2019 by Arcturus Publishing Limited
26/27 Bickels Yard, 151–153 Bermondsey Street,
London SE1 3HA

978-1-78950-354-8
AD007041NT

Printed in China

THINGS THAT CAN BE MEASURED

```
F L U I D I T Y E T Y N Z B D
T I C E M O E E A P A Q S R D
E B P Y R S E E L A U U P E T
F T E Q N C B H S A D E E A E
H V U A D T T M N Q C P P D C
L E P M R D A T U V S S D T N
A X Z A I S I R R T I E F H A
E N E W B T A E G A N N O T T
P H G H Y C R N E S D E I R S
W O T L Q U A L I T Y I M B I
A E W G E R T T U S W S U O D
D M I E N R Y E C R O F X S M
I B D G R E K H E R A U O H C
S E R M H N L F W A L W N B C
C F G O Y T I V I T C A E D V
```

ACTIVITY	FLUIDITY	RADIUS
ANGLE	FORCE	SCALE
BREADTH	HEARTBEAT	SOUND
CURRENT	LENGTH	SPEED
DENSITY	MOMENTUM	TONNAGE
DEPTH	POWER	TORQUE
DISTANCE	QUALITY	WEIGHT
EXPANSE	QUANTITY	WIDTH

HERBS

```
P D E G A R O B G M E F O I U
O C H I C O R Y A L A M A B G
S S F U H A L F R E F A Y E M
S Y E T I O R M L A M R A H L
Y B N D V E R Y I Y M C U E T
H C U A E Y A S C E I E M F L
T H G N S B R A E N R O S E L
O E R D D T M O R R N S R O L
M R E E T O K A V B A R W E R
A V E L M N D F A A O D N W B
G I K I A A I L V S S N I D E
R L L O L G M M G H E O D S S
E E E N M E F P T F D I R M H
B S O R E R E D N A I R O C M
E M A R J O R A M H C I W Y O
```

ARNICA	CHIVES	LEMON BALM
BAY LEAF	CORIANDER	LOVAGE
BERGAMOT	DANDELION	MARJORAM
BORAGE	FENNEL	OREGANO
CAMOMILE	FENUGREEK	ROSEMARY
CATMINT	GARLIC	SAVORY
CHERVIL	HORSERADISH	SORREL
CHICORY	HYSSOP	THYME

RODENTS

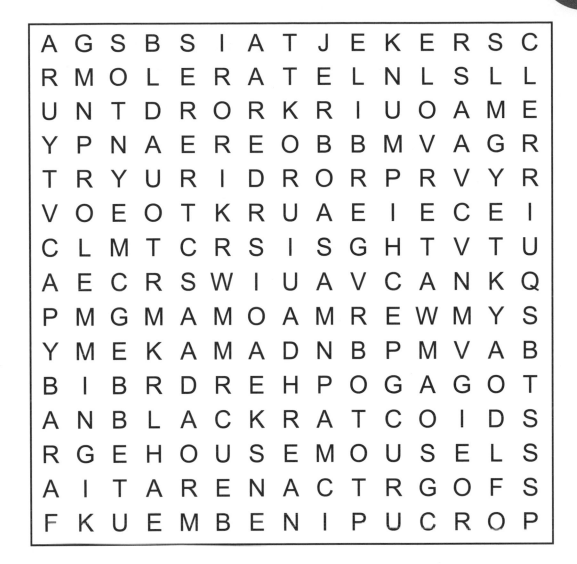

```
A G S B S I A T J E K E R S C
R M O L E R A T E L N L S L L
U N T D R O R K R I U O A M E
Y P N A E R E O B B M V A G R
T R Y U R I D R O R P R V Y R
V O E O T K R U A E I E C E I
C L M T C R S I S G H T V T U
A E C R S W I U A V C A N K Q
P M G M A M O A M R E W M Y S
Y M E K A M A D N B P M V A B
B I B R D R E H P O G A G O T
A N B L A C K R A T C O I D S
R G E H O U S E M O U S E L S
A I T A R E N A C T R G O F S
F K U E M B E N I P U C R O P
```

AGOUTI	DEGU	MARMOT
BEAVER	FIELDMOUSE	MOLE RAT
BLACK RAT	GERBIL	MUSKRAT
CANE RAT	GOPHER	NUTRIA
CAPYBARA	HAMSTER	PORCUPINE
CAVY	HOUSE MOUSE	PRAIRIE DOG
CHIPMUNK	JERBOA	SQUIRREL
COYPU	LEMMING	WATER VOLE

4 JUICY FRUITS

```
U M S E R R A P G C E L P P A
P A X T S T A D Y R R E H C V
T V A V R Y R R E B P S A R I
I A G P P A P A Y A Y G E L G
U U G A R M W E Y S E A G R P
R G P O A I J B A A T U I D E
F B Y N O X C A E C L E M O N
N U G R B S D O D R H V E A E
O O E R R J E G T N R K A E O
I R E Y S E W B O A R Y H P T
S N A I Y P B L E X K C J A A
S L T N E N E E J R Y I L R M
A I K A G M R C U L R C W G O
P M R Z G E R U M L V Y L I T
C E S T A R Y R R E B L I B E
```

APPLE	GUAVA	PAPAYA
APRICOT	KIWI	PASSION FRUIT
BILBERRY	LEMON	PEACH
BLUEBERRY	LIME	PEAR
CHERRY	LYCHEE	RASPBERRY
DEWBERRY	MANGO	STRAWBERRY
GOOSEBERRY	MELON	TOMATO
GRAPE	ORANGE	UGLI

HOBBIES AND PASTIMES

```
G N I K A M S S E R D Q J U P
S O Y E N G T A S W O J U D O
A I R G T N R P G E I W J A I
J R B N I I A G E O H C I O H
H S C I Q K D N H V Y Z T N W
I T Y H U I J I G S A W S K G
E A L S E H C I C H G K U N Y
D M L I S R R K K R A W I B T
L P A N G J Y S N T O T S A E
C S B R N N P L I H T C N S S
E I E A C A I N T A H T H K E
A X S V E A G V T G N I W E S
H G A U L R M P I O H A M T T
I R B F M L C B N D S Y I R V
O R I G A M I H G H G R A Y U
```

ANTIQUES	HIKING	ROWING
ARCHERY	JIGSAWS	SEWING
BASEBALL	JUDO	SKATING
BASKETRY	JU-JITSU	SKIING
CROCHET	KNITTING	STAMPS
DARTS	MACRAME	TATTING
DIVING	MUSIC	VARNISHING
DRESSMAKING	ORIGAMI	YOGA

PIES

```
U P E Z S S P T A M C E A W E
Y O L N R H S K M B F U T G L
T T P P Z U E P O R K L E R A
P A P R R I A P C H E E S E M
E T A C A L K D H M V R P L A
C O M N A I E C O E S G E A T
A O M M I S S N H U R U F T V
N N O C S K X I O I G D E T E
H D E E J Y P C N N C H S I G
E C R O E J R M I W A K K C E
E T A V S E F R U E X C E E T
K C M E A P E R E P O A M N A
S Y R M P M R Y U H W G F B B
R A S P B E R R Y I C E R A L
P D R A T S U C O P T E D Y E
```

A LA MODE	DESSERT	PORK
APPLE	DOUGH	POTATO
CHEESE	FRUIT	PUMPKIN
CHERRY	LATTICE	RAISIN
CHICKEN	LEMON	RASPBERRY
CREAM	MERINGUE	SHEPHERD'S
CRUST	PEACH	TAMALE
CUSTARD	PECAN	VEGETABLE

FICTIONAL SLEUTHS

```
M I S N E E U Q Y R E L L E R
U H N S E N A R M C M Y V E C
N O A Y Y E R A M H N O M A P
G U H A R R Y O Z L Q I R Y E
A S A M W O W P E U N T U S T
M T L O E N C Y T G E T E Q E
W O L R R W L K T R E W D U R
B N A G U H E O F R F A I E W
Y E C A L S N R G O N D S H I
N A A N M S H I D M R O N A M
T Y G D T U A A B Y C D O Z S
O E N E S M H J Y R C G R E E
K E E R C E S E I N C N I L Y
L L Y S H A N N O N E I A L U
E X H U L E F L O W O R E N L
```

CAGNEY	IRONSIDE	NANCY DREW
CALLAHAN	LACEY	NERO WOLFE
CARTER	LYNLEY	PETER WIMSEY
CREEK	MAGNUM	QUINCY
ELLERY QUEEN	MAIGRET	REMINGTON STEELE
HARRY O	MCGILL	ROCKFORD
HAZELL	MORGAN	SHANNON
HOUSTON	MORSE	SHAYNE

"X" WORDS

```
X E N I X P W Y X Y L E N E S
A G X A R H T R A N E X K B I
C X Y L I S Y A R X O E X M S
X S L X Y L A R I A O N E O O
E U O X H X X G S I X N E Q H
N C G I X R M E A L S X A X T
O I R P L A F E R I S A M X N
L N A H S J X X L X E O F A A
I E P O R X E Y X Y E D M E X
T X H I N N Y U R E S X X X
H X Y D I A C S J I O B E A A
D X V A L X L I T L S B R N V
K R L K I W Z Y Y U E I O X I
A P O C O L Y X X C S F X L E
D X E U R X A N T H O M A R R
```

XANTHOMA	XENON	XYLARIA
XANTHOSIS	XEROX	XYLEM
XAVIER	XERXES	XYLENE
XEBEC	XHOSA	XYLOCOPA
XENARTHRA	XIPHOID	XYLOGRAPHY
XENIAL	XMAS	XYLOSMA
XENICUS	X-RAY	XYRIS
XENOLITH	XYLAN	XYSTUS

WEDDING ANNIVERSARIES

A R E A S I N O M J L E S T A
D G V N Y A E N P A R E P A P
T O S E H R S O R R A H E E I
D L O I O I E T E F N K F T W
M D U W L S M T H L N Q B A S
S E S V I K L O T N E N I L O
A N E L Y G K C A O V C B F A
P R M A R B T D E O P P A I P
P U T E J A M D L M L E V L E
H L E N Y Z E A N A P O U K N
I A A A V Z T P T O R W O O L
R R C N N S Y I N Y M E I E H
E O K O Y I N B R Q Q A M N E
M C R R K U H L U O C K I E S
L B C E M N N C A R N H A D D

BRONZE   IRON   POTTERY

CHINA   IVORY   RUBY

CORAL   LACE   SAPPHIRE

COTTON   LEATHER   SILK

CRYSTAL   LINEN   SILVER

DIAMOND   PAPER   STEEL

EMERALD   PEARL   WOOD

GOLDEN   PLATINUM   WOOL

SCOTTISH ISLANDS

```
Y S W I T H A D V M J A A K I
A L D E H I A F B V B A R A R
M B Y A S N E F A R A E S N G
V O M O N T V T A B A A A I G
N C U A R D R C E S H R P Z V
E F S S L A S A G N T V J W E
Y L J L A F W A Y E S K P Y R
A O S L C H G X M A H T T N O
S T B I O C C O S R U O O A M
L T O Y R N G R U I N A R D S
I A R R T I O J H U A S S L I
G S E I L E A N S H O N A O L
E R R A I D A F S E R A J T A
N Y A S U O R V R A G I A Y Y
H A Y E L U T S W H A L S A Y
```

BORERAY	FLOTTA	ROUSAY
DANNA	GOMETRA	SCARBA
EGILSAY	GRUINARD	SHUNA
EILEAN SHONA	INCHFAD	STULEY
ENSAY	LAMBA	SWITHA
EORSA	LISMORE	TORSA
ERRAID	MOUSA	WESTRAY
FAIR ISLE	OLDANY	WHALSAY

CAMPING

```
S T E K N A L B E S K K E R S
A W S T A K E S E H E S E P E
I P W T H M P G C Z T T A O A
S G O K E V O T S W S M F L R
L C L N G N I E P A C S E I F
C U L A H P Y J S T M U N E O
A T A O N A D L O E J S R P A
M L M N M T S D F R E U L S R
P E H C E Y E V S C T L F G T
F R S E D M M R T A I A H N S
I Y R S E R A S N R H E P I D
R M A O K F E R G R M S O N L
E E M N P I R M F I C B L W E
T T R E K E T T L E D A E A I
U S A R L S S Z B R E S S B F
```

AWNING

BLANKETS

CAMPFIRE

CUTLERY

ESCAPE

FIELDS

FLASK

FLY NET

FRAME

GRILL

INSECTS

KETTLE

LANTERN

MAPS

MARSH-
   MALLOWS

MESS KIT

NATURE

PITCH

POLES

ROPES

STAKES

STOVE

STREAM

WATER CARRIER

12 **JESUS**

```
P D W E R D N A O F K E J M E
C L E U R E P P U S T S A L M
A O A T I S S V I A R E C A M
E G U R T P P I L I H P A Z R
L F V A R L L I N O M E S A M
P H B S H E P H E R D S B R E
M L S C R E S V V S E K F U L
E J O H N T N T A R G K Y S A
T C O O S H A D S J S E R Z S
N E F S E M U I Q N S E A H U
H N K R E J H K H I A I M L R
O V O U E P L W M N S M F A E
N D Q D L M H O G Q V T O I J
T S I R H C N X E C M Y R R H
L E G N A E A N S E N R Y T O
```

ANDREW JOHN PHILIP
ANGEL JOSEPH PILATE
ARREST JUDAS ROMANS
CHRIST LAST SUPPER SHEPHERDS
GOLD LAZARUS SIMON
HEROD LUKE STABLE
JAMES MARY TEMPLE
JERUSALEM MYRRH TRIAL

"Y" WORDS

```
D E L W A Y E H S I B B O Y Y
Y A Y L I S A R D G G Y S E A
E T A Y S M E Y E G Y O G I C
Y A S H M A K N T E Y U S Y K
K T V A L S O G U Y N E I L I
Y P R Y E K P Y Y E R V E F N
L E A U U Y I E R P Y D E B G
U K L Y G P Y I Y A O L Y Y Y
S Y Y L Z O H O C Y F N A U I
Y A G Y O S Y H N F Y W K N P
U B A H K W T Q A D C U E O P
C R A R C S I Y F E E M C F E
G Y O N M R D N Z D E R G C E
U Y E A R L I N G Y B T E N A
Y B N P E R I Y I K N R R A Y
```

YACHTSMAN	YEARLING	YOGIC
YACKING	YEAST	YOGURT
YAFFLE	YELLOWING	YONDER
YAHOO	YEMENI	YORKSHIRE
YAKS	YGGDRASIL	YPRES
YARG	YIPPEE	YUCCA
YASHMAK	YOBBISH	YUGOSLAV
YAWLED	YODEL	YUKON

SOFT WORDS

```
H T O O M S D O E I M B P S D
T G N I L E E F L C E I C B O
A T S I L K E N B R L E L M P
S T P V U R D R E O T A E D Y
Y D E T C E T O R P N U T O F
M U R A W O W E W D E E N N F
D U L C E T L P M N G K A R U
D I T T C U S H Y P Y J I J L
T O L B E P P N J F E S L N F
D N P U U N P A R O A R P L D
E V E L T T D H Y P R C E H Q
R F P I F E T E P E C E I D U
S Y A O N S D E R Y C H M L I
L P O N F E B S R Y V A S G E
J F S U O U L F I L L E M P T
```

BLAND

BUTTER

CUSHY

DILUTED

DOWNY

DULCET

FACILE

FEELING

FLEECY

FLUFFY

GENTLE

KIND

LENIENT

MELLIFLUOUS

MILD

MISTY

PLIANT

PULPY

QUIET

SILKEN

SMOOTH

TEMPERED

TENDER

UNPROTECTED

PICKLED

```
S E H C A E P M F D V R Q Z B
R C P I C C A L I L L I S W H
H E R R I N G S I A G V R R S
S I W Z G T X K G I N G E R S
O N I O N S Y X E H M L B Q A
S L I Z L R P E C T I X M C U
T E B K I F G I N S C L U J E
U N K O R A I T H T D H C C R
N G W O B E W L O C U R U A K
L Y T B H G H O U M M H C P R
A Y A U U C A G L A A I C E A
W C O L J V I R F I C T K R U
O D I T R U C T L O V E O S T
S T O R R A C D R I W E Z E Z
G S H A L L O T S A C F S L S
```

ARTICHOKES	GARLIC	ONIONS
CABBAGE	GHERKINS	PEACHES
CAPERS	GINGER	PICCALILLI
CARROTS	HERRINGS	RELISH
CAULIFLOWER	KETCHUP	SAUERKRAUT
CHUTNEY	KIMCHI	SHALLOTS
CUCUMBERS	MANGO	TOMATOES
CURTIDO	OLIVES	WALNUTS

```
B A R R I P L P E T E R P A N L
L L S G E E I B Y A R S T A G
M E U K T H Y E B U D F B O Y
O O Z E C M T A D W S K E R Y
W E R N R O B O A P I O A M A
S G B A U I L R M N I M R P M
N E M L L P V I G D Y P I E N
O E U A H E A C D R N N E D I
W H H D S P O R A L O A F R S
W A T D S L B M W C O R R I T
H N M I E W I T C H D G U G U
I S O N B R B H P U M P K I N
T E T T P R I N C E S S M E C
E L D R F O S T E R O S E A O
D A B N I S H O E M A K E R B
```

ALADDIN	KING COLE	RAPUNZEL
ALI BABA	MARY MARY	RED HEN
DR FOSTER	NUTS IN MAY	RUDOLPH
DWARVES	PETER PAN	SHOEMAKER
GOLDILOCKS	PIED PIPER	SINBAD
GRANDMOTHER	PINOCCHIO	SNOW WHITE
GRETEL	PRINCESS	TOM THUMB
HANSEL	PUMPKIN	WITCH

THINK ABOUT IT

```
N I K H R E F L E C T G A W I
I T E F M A S X N O S A E R D
A A I C T Q P U W O S O H E E
R E V I S E H Q M V K E L G T
B T E C C D R A G E R C D V R
E A T T W E I V E R Y U E E E
H L A P P R A I S E J X F R L
T P M I K U R R O D F N R E L
K M I C X T U E H I I E E T A
C E T A C C S I D S D A N A I
A T S L E E P O N N V R I E N
R N E P L J M B O O O I M D V
T O S G X N Q P R C Z W A I E
X C Y K O O R B I W O W X K N
G Z N M Q C G K Y Q U P E D T
```

APPRAISE	IDEATE	RECKON
BROOK	INFER	REFLECT
CONJECTURE	INVENT	REGARD
CONSIDER	JUDGE	REVIEW
CONTEMPLATE	MUSE	REVISE
ESTIMATE	PONDER	SLEEP ON
EXAMINE	RACK THE BRAIN	SOLVE
EXPECT	REASON	WONDER

BUYING A HOME

```
R Y T R E P O R P I E S U O H
M O O R G N I V I L E L J S K
P A P E R W O R K I S Z G Z D
R G J B T N O I T E L P M O C
L E R E F F O I L I S T I N G
E N D J I N L M Y D O N R H A
A C I U T I Y H E E S Y N T R
S Y O S C F I H R P E C O M D
E G I A A E C B E V P M I O E
H N F A R A D C R S S V T R N
O I S J T P T U E R H E A T X
L V I E N I S A O S K N C G T
D O D J O F R O X R F D O A F
Y M K N C C L G A S T O L G R
F M V H H F N M E C I R P E L
```

AGENCY	INSPECTION	OFFER
COMPLETION	LEASEHOLD	PAPERWORK
CONTRACT	LISTING	PRICE
DETACHED	LIVING ROOM	PROPERTY
FACILITIES	LOCATION	REDUCED
FLOORS	MARKET	SEARCH
GARDEN	MORTGAGE	SURVEY
HOUSE	MOVING	VENDOR

SOLD IN BOXES

```
A P S W E R C S S T E R C S W
E V F S E L I T T R A U O H Y
Z N P P A D C G S E C C I O T
J H A J R A S S D R L I K E I
A P P I T X E N W R A B J S S
E H G F L H P O C J I G A E S
K S O Z C S O Y I O A L I T U
X O M T K W L A U S O R L C E
D I A C Q G E R S E E K W S S
R M M E E Y V C T T V P I R O
E R P E D R N A T A E W P E M
W A V I K U E A R D T V S B S
P E F S G A B A E T V O I L O
S G G P E N C I L S A L E R I
S N I S I A R P J P A B E N D
```

BATTERIES	DRILLS	SCREWS
CAKE MIX	ENVELOPES	SHOES
CAT FOOD	MATCHES	SOAP
CEREAL	NAILS	TABLETS
CIGARS	PAPER	TACKS
COOKIES	PENCILS	TEA BAGS
CRAYONS	RAISINS	TILES
DATES	RIVETS	TISSUES

KNITTING

```
D E D C L E J R O V S M X I K
G Y F O E U H E I S C W E S A
H H O E L E O P E R F A O F A
Y W D O D T A M L Z Z U A R C
E R O S X G C U A A U C B E R
T P R E H D I J Z C I T E D Q
S K C O S A P N E N H N Z X F
G Q E F R A W U G G E I E R P
H B N A H A E L R N U A N O Q
C H O S J G M P W L K A T E N
T N P P A T C H W O R K G O S
E V I V G A O T E K N A L B I
R F L A B F Y G O A Y Y X D Z
T E S L H B U T T O N H O L E
S Q E D M C N O T S A C R G S
```

BLANKET	JUMPER	SHAWL
BUTTONHOLE	MACHINE	SIZES
CABLE	NYLON	SLIP ONE
CAST ON	PATCHWORK	SOCKS
CHAIN	PLAIN	SPOOL
EDGING	PURL	STRETCH
FACING	ROWS	TANK TOP
GAUGE	SELVAGE	WOOL

LINKS

```
S S S E R I M S E H C T I H F
E S E N I N T E R L I N K S A
N S E S I I G A R M E R G E S
I S N W U A O S T E M U S Y T
B V K C S F H C E H L E A E E
M P R C N T O C A S C A U L N
O I U S O N O R P I I N T I S
C D A S N L N G L E I A S E S
E N T E M E R P E T K G I E S
N H C E S A S E E T U N R L J
T T B S N N E S T L H E O E T
S N E P I A K T P N H E S T E
T S E I O R O F O D I E R A S
E V F L J A Y M A R R I E S E
S T N E M H C A T T A E H E S
```

ADHERES

ATTACHMENTS

CHAINS

CIRCUITS

COMBINES

CONNECTS

FASTENS

FUSES

HARNESSES

HITCHES

INTERLINKS

INTERLOCKS

JOINS

KNOTS

LIAISES

MARRIES

MERGES

PLUGS IN

RELATES

SEWS
  TOGETHER

SPLICES

TEAMS UP

UNITES

YOKES

AUSTRALIA

```
B C A A R O N O E L Z W U Y K
R U L N P Y K A K A D U E E C
I T A D A H D K A D S G T N A
Y D O I E U A E H N N P Q D B
O A K H U H T U P A K O L Y T
O R S C C R R L R R M R O S U
R W D E A U A N B U E A R S O
A I Z B L T A W W K H B H N A
G N O U Y I W O M B A T O M M
N H S P P M A C K A Y W U O A
A L U M T J E P R L H R S N C
K S A Q U I L P I E R T N C T
E R L I S M O R E A P E R T H
G P A R S P K A Y F I P N O N
H E R A A G A R R E B N A C N
```

CANBERRA	KANGAROO	NORTHAM
COOBER PEDY	KOALA	OUTBACK
DARWIN	KURANDA	PERTH
ECHIDNA	LEONORA	PLATYPUS
EUCALYPTUS	LISMORE	QUILPIE
GRAMPIAN RANGE	MACKAY	SYDNEY
HOBART	MURRAY	ULURU
KAKADU	NOOSA	WOMBAT

FRANCE

23

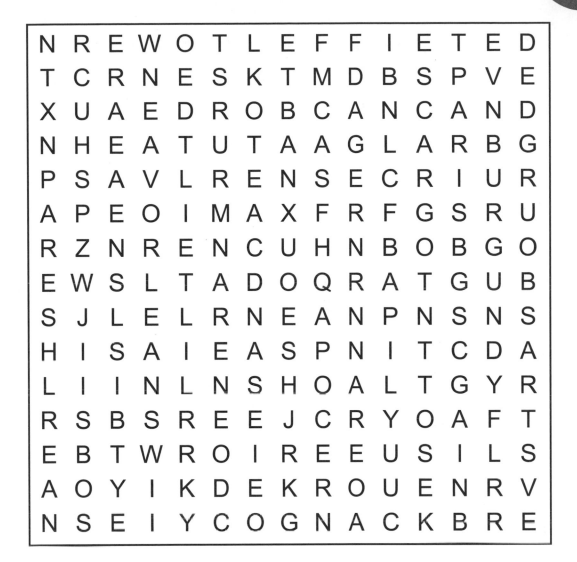

```
N R E W O T L E F F I E T E D
T C R N E S K T M D B S P V E
X U A E D R O B C A N C A N D
N H E A T U T A A G L A R B G
P S A V L R E N S E C R I U R
A P E O I M A X F R F G S R U
R Z N R E N C U H N B O B G O
E W S L T A D O Q R A T G U B
S J L E L R N E A N P N S N S
H I S A I E A S P N I T C D A
L I I N L N S H O A L T G Y R
R S B S R E E J C R Y O A F T
E B T W R O I R E E U S I L S
A O Y I K D E K R O U E N R V
N S E I Y C O G N A C K B R E
```

BORDEAUX	EIFFEL TOWER	ORLEANS
BRASSERIE	ESCARGOT	PARIS
BURGUNDY	EUROS	RHONE
CALAIS	LATIN QUARTER	ROUEN
CANCAN	LILLE	SEINE
CHARTRES	LOIRE	STRASBOURG
COGNAC	NANCY	TOULON
DIJON	NANTES	VIN DE PAYS

"BIG" START

```
Y R T O G I B B I G S T I C K
B I G M O N E Y M B S B T D B
A I S U O M A G I B E I O Y E
H H E S I O N G I B N G O E S
B N T T W F E G B R I A F D E
J I G R J Y H I V E S S G E E
B I G L E A G U E P U S I T H
B N K D I B I O B P B G B R C
I I R R A B G I I G I I A G
B B G O I D G I G D I W G E I
I I D G H E D L B G B G H H B
G A T N A G Q Y U I I I A G E
B O M R I M I A C B G B N I G
P Y E B I G E B K B A T D B I
K D B I G B I G S H O T S E B
```

BIG BERTHA	BIG HAND	BIG TOP
BIG BUCKS	BIG HORN	BIGAMOUS
BIG BUSINESS	BIG LEAGUE	BIG-EARED
BIG CHEESE	BIG MONEY	BIG-EYED
BIG DADDY	BIG NOISE	BIGFOOT
BIG DIPPER	BIG SHOTS	BIG-HEARTED
BIG GAME	BIG STICK	BIGOTRY
BIG HAIR	BIG TIME	BIGWIGS

INVENTIONS

```
C D S O W H K N O S E L A P B
S K Y Z C C R R I O T N L G B
A S J N O T C E Z W I O Y B G
N M E L A L O H K P V Y B C U
A R C R E M O R Y A A F E O T
W R C V P P O T P N M L Q N R
R O E O W G E S E E L E E H W
E T I M M F N P A P D M C V A
S A H D A P O I H H E O I A S
A L O S A C A O T C C N T Y P
L A U O S R N S M N Y T S Z I
Q C F I N E K T S L I D A A R
Q S R E W O M N W A L R L M I
N E P T N I O P L L A B P J N
P A N D I N A A S E H C T A M
```

ASPIRIN	ESCALATOR	RADIO
BALLPOINT PEN	LASER	ROBOT
CAMERA	LAWNMOWER	SAFETY PIN
CELL PHONE	MATCHES	TORPEDO
CEMENT	PACEMAKER	VELCRO
CLOCK	PERISCOPE	VINYL
COMPASS	PLASTIC	WHEEL
DYNAMO	PRINTING PRESS	WRENCH

SHADES OF YELLOW

```
T J A N A N E S I I N O K N G
J E B H A P R I C O T A I M E
E H S Y N W A T K F S A A J R
R L N N H T E E U N R I R O D
A I A L U R X L A G Z S E S A
O U P B I S V H E E M A U B F
A Q L N M O F D N I X B C R L
M N E P U M L G K E L E C O I
T O S S S I U A I O D L H N D
C J J I T F D I O M B L R Z O
A T N S A O O H N A F I O E F
N V O T R U C M N A B N M G F
A R M R D S Y A D K T E E G A
R A E A V J N H L O R I V B D
Y E L W R A L L I P R E T A C
```

APRICOT	GOLDEN	MUSTARD
BANANA	HANSA	NAPLES
BRONZE	ICTERINE	SCHOOL BUS
CANARY	ISABELLINE	STIL DE GRAIN
CATERPILLAR	JONQUIL	STRAW
CHROME	LEMON	SUNSET
DAFFODIL	MAIZE	TAWNY
FULVOUS	MIKADO	TITANIUM

CANINE FRIENDS

```
S A S I N A T E B R E G O D H
E I F T C U H T L E A S H X C
N I L P R B A S K E T L E T O
O H B E O O E R U J Y N L V O
B S C T V K K U Y R Z H E O P
Q B I T C H N I R V B H H L C
L I C I E S O G N I D E E R B
M G N N D F G W B G M H C O B
U N O G K N L U L M W K W I K
Z I S Z I F C A Z I O L S P E
Z N Y P E H W P N N C A R N
L I P S E A L U H D U G R G N
E A B W L D P O U I O Z A T E
Y R S K A P D Z T E E G V E L
M T S O Y S R S N E E N C A P
```

BASKET	COLLAR	PETTING
BISCUITS	COMB	POOCH
BITCH	FETCH	PUPPY
BONES	HOWLING	STROKING
BOWL	KENNEL	TRAINING
BREEDING	LAPDOG	WALKS
BRUSH	LEASH	WHELP
CHEWS	MUZZLE	YAPPING

LITERATURE TYPES

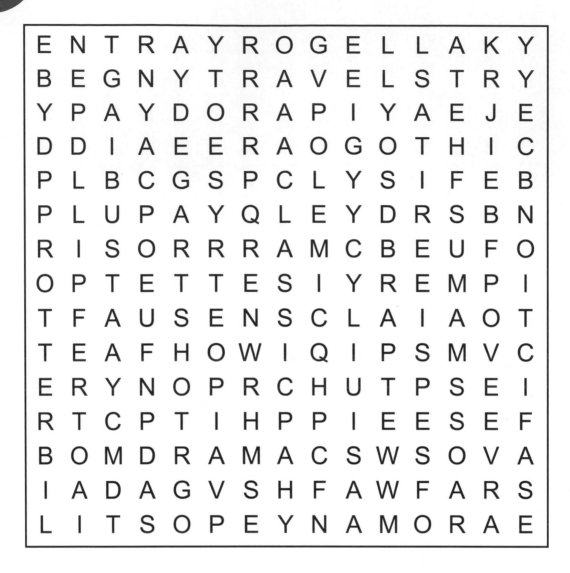

```
E N T R A Y R O G E L L A K Y
B E G N Y T R A V E L S T R Y
Y P A Y D O R A P I Y A E J E
D D I A E E R A O G O T H I C
P L B C G S P C L Y S I F E B
P L U P A Y Q L E Y D R S B N
R I S O R R R A M C B E U F O
O P T E T T E S I Y R E M P I
T F A U S E N S C L A I A O T
T E A F H O W I Q I P S M V C
E R Y N O P R C H U T P S E I
R T C P T I H P P I E E S E F
B O M D R A M A C S W S O V A
I A D A G V S H F A W F A R S
L I T S O P E Y N A M O R A E
```

ALLEGORY	GOTHIC	POLEMIC
CLASSIC	LAMPOON	POSTIL
COMEDY	LIBRETTO	PROSE
CRIME	MYSTERY	PULP
DRAMA	PARODY	ROMAN
ESSAY	PASTICHE	SATIRE
FANTASY	PICARESQUE	TRAGEDY
FICTION	POETRY	TRAVEL

CARD GAMES

```
H E L H H Q L R E D I P S Y K
N U S T W E N T Y O N E J I E
E I B E C P O D P M C A S O U
F V O A V F O E M B I M B D Q
E B R P A E S N B R E F U R I
H T M R O L N R T E Z N N L Z
E M O L N S I S R O U P A E E
Z I O O T D V A F T O K N U B
Y S M O G M E F E S J N G C P
S E P E A S A T V P K O H H E
D R B I W N G Q I A D A M R Y
T E S Z T N S Q P D L T T E Q
E Y C A I N U U E E S L G S U
G I N V A E K R B S T E S M E
B V Y P T Y C L Y M M U R A E
```

BEZIQUE	FISH	SKAT
BRIDGE	MISERE	SNAP
BUNKO	OMBRE	SOLO
DEMON	PIQUET	SPADES
ECARTE	PONTOON	SPIDER
EUCHRE	RED DOG	STOP
FAN-TAN	RUMMY	TWENTY-ONE
FARO	SEVENS	VINGT-ET-UN

THE BEST

```
T P S S E L R E E P A Y T T E
S S O H R D E N I T S I R P E
E G E R Z E Y R A L P M E X E
H N C N C L I R H T S I C L C
G I H E I E H M O F T W B T F
I N O U G F H P E S F A T O L
H W I F N G A T E R T O C P A
G O C E I R N C F A P M E N W
K R E P L V I I E O U M L O L
F C E O R N E B D M M P E T E
P R A A E E N S I A J A S C S
R N F U T U M T T E E T E H S
I W H U S E P I U A K L L R E
D G A J O O S S U P R E M E C
E X Q U I S I T E M A H L H V
```

CHOICE

CREAM OF THE CROP

CROWNING

EXEMPLARY

EXQUISITE

FINEST

FIVE-STAR

FLAWLESS

GREATEST

HIGHEST

LEADING

NICEST

OPTIMUM

PEERLESS

PREMIER

PREMIUM

PRIDE

PRISTINE

SELECT

STERLING

SUPREME

TIPTOP

TOPNOTCH

UNBEATABLE

EASTER PASSION

```
P S H A R S U A M M E A U S S
E N E L A D G A M S S S W D A
S R T H E A L H C S P F Y S M
L O M F E R D O O N E E E H O
E H N R N E U R Y N O V A F H
G T A J E R C U A A E M S R T
N N I B G A V M Y I Z N I K E
A E L E L I E F H R T H C S P
E S S V N S N T C P S O A E E
G I A E H V O R A A I J D A T
E R G T T L T S J O I A V H E
Y A E T I K S C R I B E S D R
R G U N O I X I F I C U R C W
F O R K O M N I N T H H O U R
T E C N S A B B A R A B N C E
```

ANGELS	MAGDALENE	SIMON
BARABBAS	NAILS	SPEAR
CALVARY	NINTH HOUR	STONE
CROSS	PASSION	THIEVES
CRUCIFIXION	PETER	THOMAS
EMMAUS	RISEN	THORNS
GETHSEMANE	SCOURGE	TOMB
JOHN	SCRIBES	VINEGAR

TEA

```
E W D N D N A M E R A O S E N
E L I M O M A C G J D T D S A
E S F S H E E R E C Z T A V W
Y P Y E O K E P E G N A R O I
Z H R O P E N E I I B L J W A
F S O L N A E C M C R A E O T
M G Q Y P M B R E A S B E H X
C S G A N L E Y T M R R L C Y
H O J U A P L N I U W E I G X
H U H C P O A N S H O H N N S
U C K E N P E S W E A R G I R
N H P J U A I D N I C H I N A
A O N R L A D Y G R E Y E W O
N N A I N D O N E S I A B L O
Z G E A L L U D A B J R F V D
```

BADULLA	GREEN	LADY GREY
BLACK	HERBAL	NINGCHOW
CAMOMILE	HUNAN	ORANGE PEKOE
CEYLON	HYSON	PEPPERMINT
CHINA	INDIA	RATNAPURA
CHUN MEE	INDONESIA	RUSSIAN
DARJEELING	JAPAN	SOUCHONG
DOOARS	JASMINE	TAIWAN

PUZZLES

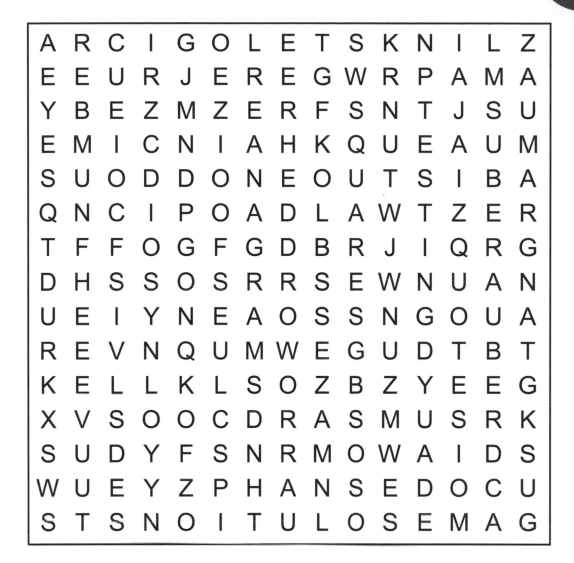

```
A R C I G O L E T S K N I L Z
E E U R J E R E G W R P A M A
Y B E Z M Z E R F S N T J S U
E M I C N I A H K Q U E A U M
S U O D D O N E O U T S I B A
Q N C I P O A D L A W T Z E R
T F F O G F G D B R J I Q R G
D H S S O S R R S E W N U A N
U E I Y N E A O S S N G O U A
R E V N Q U M W E G U D T B T
K E L L K L S O Z B Z Y E E G
X V S O O C D R A S M U S R K
S U D Y F S N R M O W A I D S
W U E Y Z P H A N S E D O C U
S T S N O I T U L O S E M A G
```

ANAGRAMS

ARROWORD

CLUES

CODES

GAMES

GRIDS

LINKS

LOGIC

MAZES

MIND-BENDERS

NUMBER

ODD ONE OUT

POSER

QUIZ

QUOTES

REBUS

SOLUTIONS

SOLVED

SQUARES

SUDOKU

SUMS

TANGRAM

TESTING

THINK

SPACE VEHICLES

```
O R M M N V K O T S O V J X U
L E A B E R A T S L E T S I V
L N G N K I N U L N E E R O E
O I E Y R E K E D A L G Y A A
P R L X O R A E B E R A S E T
A A L E F R A V N W G L P U L
P M A Z I V I E X E E I Y S A
I S N E O R V O R I Z L M U N
O Q L U E T V S N T A E T R T
N A R G E O I G K S F O S V I
E R N F S H C O I Y Y U D E S
E A P K W O H E N O L G T Y N
R U H J S A Y A R H T O X O M
H O R A I B M U L O C T N R F
D G N I K I V E Z E T W O F N
```

APOLLO	MAGELLAN	SOYUZ
ARIEL	MARINER	SURVEYOR
ATLANTIS	ORION	TELSTAR
COLUMBIA	PIONEER	VENERA
ENDEAVOUR	RANGER	VIKING
GALILEO	SALYUT	VOSKHOD
GIOTTO	SELENE	VOSTOK
LUNIK	SKYLON	VOYAGER

VARIETIES OF APPLE

```
U G A L A G L A Y O R I I B W
S K A G O O L L B U E I O R V
Y F U J I D M E B A A E G I H
Y T I J Y H E I C W R C A N O
E E A R D D N R A S O N Y A H
L E A K E E A H A R H A J T D
I W K S T S N L T D D E I V L
A S S T J E I L K T I M N F O
B D E N A K A D M N S F O V G
G N O A V N R Z E Y I R P A Y
A U E R D A K H N E T P I C E
E O J G P C S N S U A P N A N
H P S A O X A T N S O W O M O
D U L X Z R A E J E P L V E H
R H S K G Z A C R U N N A O N
```

AKANE	FIESTA	JAZZ
ANNURCA	FIRESIDE	KATY
BAILEY	FORTUNE	PINK LADY
BRINA	FUJI	PINOVA
CAMEO	GRANNY SMITH	POUND SWEET
CORTLAND	HAWAII	ROYAL GALA
COX'S	HONEYGOLD	RUBINETTE
ENVY	IDARED	SONYA

TENNIS

```
S S A R G A S S E M A G S A S
E G K E T G G Q E G Z M E Y D
G S E K A R G V M R A Y E A T
A O B O U N C E S S V J D C H
T A Z E I T M E H J W I S M J
N D F W R E N A T R U O C D G
A E S C I I E E F O M R J E V
V L N N L W P A N C P R F V H
D L E T I S E M N O I S N E T
A T P N E V O L U P P J P W O
S H S N E L B P S S O P H I R
S E D S E T S E H V Y C O T N
E C U E D D O O S Y A A G B N
S Y T R I H T V R O Z C S E D
M I N O S S L E C I L S E R A
```

ADVANTAGE	LOVE	SLICE
BOUNCE	NETS	SMASH
COACH	OPPONENT	SWING
COURT	SEEDS	TENSION
DEUCE	SERVICE	THIRTY
GAMES	SETS	TOPSPIN
GRASS	SHOES	UMPIRE
LINES	SHOTS	WINS

```
I  I  T  A  P  N  E  Z  N  U  C  E  R  K  N
S  O  A  E  R  M  Y  I  N  O  S  H  I  M  A
G  T  I  A  S  E  S  I  O  O  Y  J  A  A  G
Y  E  R  I  E  Y  D  Z  R  T  J  Y  E  P  A
A  K  Y  O  R  T  H  A  A  A  O  E  G  E  P
T  O  A  O  M  T  H  L  J  N  G  Y  M  L  O
R  B  S  F  H  B  K  C  N  Z  U  O  O  E  Q
I  C  U  U  D  E  O  O  A  O  A  Y  N  E  E
D  M  R  O  B  B  W  L  M  L  G  O  T  G  L
E  P  L  X  D  E  S  U  I  V  U  S  E  V  O
N  H  S  O  M  E  R  G  L  J  A  S  R  A  L
T  I  A  T  I  A  R  E  I  A  D  J  N  D  O
I  R  K  R  E  S  A  T  K  Z  P  I  A  K  R
J  A  F  M  G  B  E  R  A  T  D  G  T  X  U
P  P  X  C  D  Y  V  M  Y  U  A  B  R  M  M
```

EGMONT	MAYON	REDOUBT
EREBUS	NISYROS	STROMBOLI
GUAGUA	NYIRAGONGO	TIATIA
HARGY	OSHIMA	TRIDENT
IZALCO	OYOYE	UDINA
KETOI	PAGAN	UNZEN
KILIMANJARO	PALUWEH	VESUVIUS
LOLORU	PELEE	YASUR

TURKEY

```
S A Y N O K E C E V I T K C I
A A M E U N A B L B G C U E T
B N M P U R H G V E R O Y A W
M E U S P L K F N S A L O S M
A A A E U R O C T I E U H U T
R F T Y U N L G S K H M L S A
M S A T L I T R N T S N A E R
A X A N K A J N U A I O T H A
R T Z P A Y T W E S V F A P R
A D A A K T A N R V M J C E A
N R M N A A O E A R E U L Y T
K S L R L L M L G A L L Y P N
A Y I Y S A R H I E F I F L U
R E Y M A M E S F A A A R B O
A L Q S M S B A B E K N A A M
```

AEGEAN

ANATOLIA

ANKARA

ANTALYA

ATATURK

BESIKTAS

CARPETS

CATALHOYUK

COLUMN OF JULIAN

ECEVIT

EPHESUS

GENCLIK PARK

KEBABS

KONYA

LEVENT

MALATYA

MARMARA

MASLAK

MERSIN

MOUNT ARARAT

SAMSUN

SMYRNA

VAN GOLU

YILMAZ

AUTHORITY

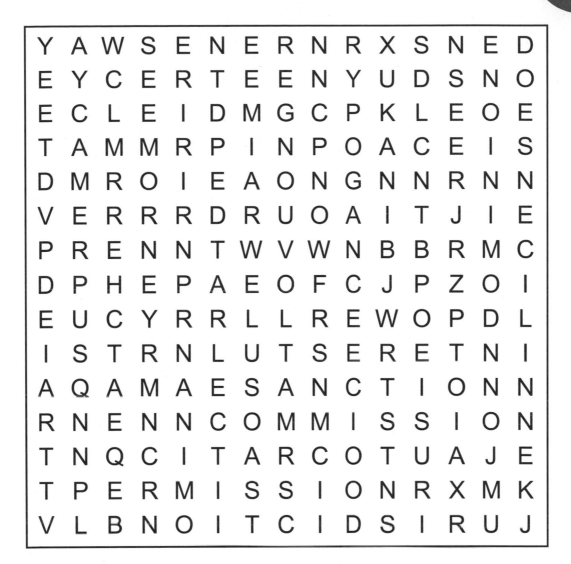

```
Y A W S E N E R N R X S N E D
E Y C E R T E E N Y U D S N O
E C L E I D M G C P K L E O E
T A M M R P I N P O A C E I S
D M R O I E A O N G N N R N N
V E R R R D R U O A I T J I E
P R E N N T W V W N B B R M C
D P H E P A E O F C J P Z O I
E U C Y R R L L R E W O P D L
I S T R N L U T S E R E T N I
A Q A M A E S A N C T I O N N
R N E N N C O M M I S S I O N
T N Q C I T A R C O T U A J E
T P E R M I S S I O N R X M K
V L B N O I T C I D S I R U J
```

ALLOWANCE	INFLUENCE	POWER
ASCENDANCY	INTEREST	REIGN
AUTOCRATIC	JURISDICTION	RULE
COMMISSION	LICENSE	SANCTION
CONTROL	MASTER	SUPPORT
DOMINION	ORDER	SUPREMACY
EMPIRE	PERMISSION	SWAY
GOVERNMENT	PERMIT	WARRANT

FRACTIONS

```
T L G A V O R D E R H T N I N
I M P R O P E R U W X H J W T
I H F E T C I V H T F I F L F
F D E X I M U H B S O R H L D
A R E M D L S T U E H D A H N
D H A Y G Q I X A V T H M H O
E L F A W U M I V E F U R T C
H T R A M A P S Y N L J X N E
N T E Y C R L D I T E H E E S
O E H I S T E S I H W O L E Y
M Y W G M E O P H N T S P T T
M F B O I R L R A L H C M E R
O Y A H T E I T N E W T O N I
C F W E Y H T N E T W T C I H
N O I T C A R F R E S A W N T
```

COMMON	IMPROPER	SIMPLE
COMPLEX	MIXED	SIXTH
DECIMAL	MULTIPLE	TENTH
EIGHTH	NINETEENTH	THIRD
FACTOR	NINTH	THIRTY-SECOND
FIFTH	ORDER	TWELFTH
FRACTION	QUARTER	TWENTIETH
HALF	SEVENTH	VULGAR

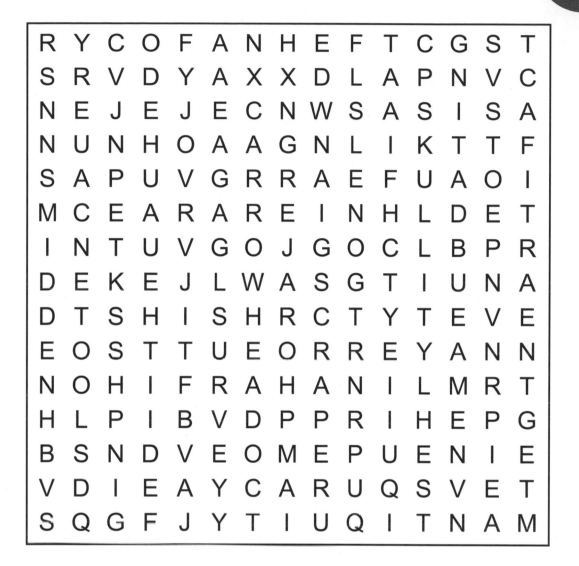

```
R Y C O F A N H E F T C G S T
S R V D Y A X X D L A P N V C
N E J E J E C N W S A S I S A
N U N H O A A G N L I K T T F
S A P U V G R R A E F U A O I
M C E A R A R E I N H L D E T
I N T U V G O J G O C L B P R
D E K E J L W A S G T I U N A
D T S H I S H R C T Y T E V E
E O S T T U E O R R E Y A N N
N O H I F R A H A N I L M R T
H L P I B V D P P R I H E P G
B S N D V E O M E P U E N I E
V D I E A Y C A R U Q S V E T
S Q G F J Y T I U Q I T N A M
```

AMPHORA
ANCIENT
ANTIQUITY
ARROWHEAD
ARTIFACT
DATING
EXCAVATED
FINDS

GRATTOIR
GRAVES
HUTS
KILN
KURGAN
MENHIR
MIDDEN
OVEN

PALAEOLITH
PITS
RUNES
SCRAPER
SKULL
STELE
SURVEY
TOOLS

WORDS DERIVED FROM GERMAN

```
Z T I L G S M I O N E D R A G
C E N H T K B J W A L T Z K Q
W D E R P L C U I A D P E F W
M Y A C C R P A G K O L R A P
E F E T T S O E S R O A S T G
E A H R T S R T Z K N K A E R
R I E O E G I I E K C X T T E
S L R H P N T E F I U U Z L B
C M E B M H N U G D N P R A E
H E D D E U R A A R S B X B C
A U N R O T E W P V E C Y O I
U A U A E Y K S I S Q T A C A
M A L R E R Z H L V X G L L P
X T P L N Y S E M I N A R O E
I Z T R A U Q E R A S E C Z P
```

COBALT	MUESLI	SCALE
ERSATZ	NOODLE	SEMINAR
FRANKFURTER	PLUNDER	SPANNER
GARDEN	POLTERGEIST	STORM
GLITZ	PROTEIN	STRAFE
ICEBERG	QUARTZ	WALTZ
LAGER	ROAST	YODEL
MEERSCHAUM	RUCKSACK	ZITHER

TICKETS

```
A E C N A R T N E V E P N Y D
S O C C E R M A T C H H U A L
C G P T E Y Y S I N G A R W H
R O U E D C R A U R D E E E L
Y R N B M J I E W C L A T N O
N M P C Z A V N L L R I N O T
T U E O E O G B E L I I N C T
A S R F C R G L L M A A C E E
T E S L U P T T L I A G R L R
T U H E S N A P A A B B Z F Y
R M E A E Z F R L F B R N F R
A T O M B O L A K A E T A A I
I E S Q U V K B I I N R O R U
N S P E E D I N G R N E R O Y
N O I S S I M D A R B G U Y F
```

ADMISSION

AIRLINE

CINEMA

CIRCUS

CONCERT

DANCE

ENTRANCE

FERRY

FOOTBALL GAME

FUNFAIR

GALLERY

LIBRARY

LOTTERY

MUSEUM

ONE-WAY

PARKING

PLANE

RAFFLE

RAILWAY

RETURN

SOCCER MATCH

SPEEDING

TOMBOLA

TRAIN

44

SLOT MACHINE

```
D E G S W E L T U Y T L E E T
H M R Y B T S N O M E L A R G
S A V M O O Y H O R K C A W R
B P E B N L E F O N A T W W O
C A R O U S E L U R S N C T L
S E V L S L K D C P T M G X L
U L A S M L G S Z O N P U E U
S L M B P E S L N B L W A L P
K E G A M B L E H E S L E Y P
R O R E C J E O R S K N E W L
R E Z U L H U L N E I O I C H
A E V I T R I E G S H Z T O T
S L E E A A V N F J E G F J C
Y E Z L L E E K E S O R I H A
F H V V S H D F M D H A V H F
```

BARS	HIGHER	REELS
BELLS	LEMONS	ROLL-UP
BONUS	LEVER	SEVENS
CAROUSEL	MACHINE	SHORT PAY
COINS	MELONS	SLOT
COLLECT	NUDGE	START
FEATURES	ORANGE	SYMBOLS
GAMBLE	PLUMS	TOKENS

LISTS

S L F E R U F W V R N A R E L
A U F F T I I O F O E C D Y H
S H B U I S K N I R E C I P E
E M O A H R E T D B V O Q K B
I V E L L K A F H E C U I B Q
E M I N K L E T I E X N N S Y
S S O X U D Y A N N V T S H D
T M K B H L D S W O A L E I T
N C A G B N U H I A E M R X E
E T E Y E S O C L X F E I L K
T L S G Y S E M I T C V E E C
N A A R W L A C A T E M S D O
O I A H B N O L O E S F L G D
C I O A A N L R E G I S T E R
D S E C R Y Y E D R O C E R E

ACCOUNT	INDEX	REGISTER
AGENDA	INVOICE	SERIES
ALMANAC	LEDGER	SYLLABUS
CENSUS	LEXICON	TABULATION
CONTENTS	MANIFEST	TALLY
DIARY	MENU	TARIFF
DIRECTORY	RECIPE	WHO'S WHO
DOCKET	RECORD	WISH LIST

CELTIC TRIBES OF BRITAIN

```
T B A E R I S I I S I R A P T
S D I U R D E N R I I C I H G
D E C C A E R E N I O G T A S
A S N M I C I C O R B I B E S
M I U O A N E I I G E N I N I
N R C T E P G O G A Q T S V L
O E E A I R N A V A O E U I U
N N M D I O C O M C N A E I R
I E I L T T G B A I T G M N E
I I U O A L N T O L N L A O S
X G T E E D T O E R P E T N J
I A I S S A C I G O E B C M I
E K C S M E R T A E A S F U N
V E N I C O N E S Z S X T D E
S A B W C O F E R I A S I I C
```

ATTACOTI	CORIELTAUVI	ICENI
BELGAE	CORIONOTOTAE	LUGI
BIBROCI	CREONES	PARISII
BORESTI	DAMNONII	SEGONTIACI
CAERENI	DRUIDS	SELGOVAE
CASSI	DUMNONII	SILURES
CATENI	EPIDII	SMERTAE
CENIMAGNI	GANGANI	VENICONES

```
H S V A M U N T E R S O G F I
E G J E B A P E D E R T V R B
H S I N B A D R A K E B E O B
C R N L R W X V M G Z I S B Y
A V O R B B E W A T S O N I N
B L Y T H S A D E S A C B S O
O P R T P G K F E A H E A H S
T Y T U T T C T F N D I U E S
E N C M H A I H G I E L A R C
B C R E A O E N U F N Q P S I
I T N Q M N E B O T T O C S R
C H I L E S R I U S B L A K E
L E U I N E H Y S E L K I R K
N E W A A Y D G A I S E N O J
E U N O T S N H O J X O N K M
```

BAFFIN

BEATTY

BLAKE

BLIGH

BLYTH

CABOT

CHILES

DRAKE

ERICSSON

FROBISHER

JONES

KNOX-
　　JOHNSTON

MANRY

MOITESSIER

NANSEN

NELSON

PARRY

RALEIGH

SCOTT

SELKIRK

SINBAD

TRYON

VESPUCCI

WATSON

ALICE IN WONDERLAND

```
C H E T A C E R I H S E H C R
A R T E A P A R T Y R M H O O
Q L O F M R E P P E P T C E M
U K I Q U K N L D U S A T U A
E E M C U S N K I U T E D F G
E R A Y E E I I R E F E S T N
N A D E W N T L R W L Y I R I
O H H P G Z A P R D M G G E K
F H A E I W I D E I E E G D E
H C T N E L H E U R D R B Q T
E R T S L D W A L C Y D R U I
A A E A R T U I N P H O L E H
R M R E M G L P H I S E B E W
T F A R E Y H O R E D E S N S
S M A R Y A N N S A V E D S K
```

ALICE

CATERPILLAR

CHESHIRE CAT

CROQUET

DINAH

DREAM

DRINK ME

DUCHESS

EAT ME

GRYPHON

MAD HATTER

MARCH HARE

MARY ANN

PEPPER

QUEEN OF
HEARTS

RED KING

RED QUEEN

RIDDLES

ROSES

TEA PARTY

TIGER-LILY

TWEEDLEDUM

WALRUS

WHITE KING

CATS' NAMES

```
O S D U F S Y T S I M T R T K
C S C H L O E R A C S O I A S
E J A D A I S Y B B K G S H R
I A L M L J L O M Y E H R G E
H C O L A F N R I R C R A N K
P K A O E N J A S P E R E F C
O C J U O B T K R A E S H E I
S X A F U I R H V I S C I I N
E I L S K B H E A B L S X C S
D L T J A A M A K N E A Y A C
R E V I L O B E Z N A N O R H
R F L O W S S E C N I R P G B
M E U R E T S E H C H T E V I
Y S E E R S R E K S I H W I R
B A I O M I O I U U D E M T E
```

BAILEY	JACK	SASSY
BUSTER	JASPER	SHEBA
CALLIE	MISTY	SIMBA
CHESTER	OLIVER	SNICKERS
CHLOE	OREO	SOPHIE
DAISY	OSCAR	TIGER
FELIX	PRINCESS	TINKERBELL
GRACIE	SAMANTHA	WHISKERS

SOCIAL MEDIA

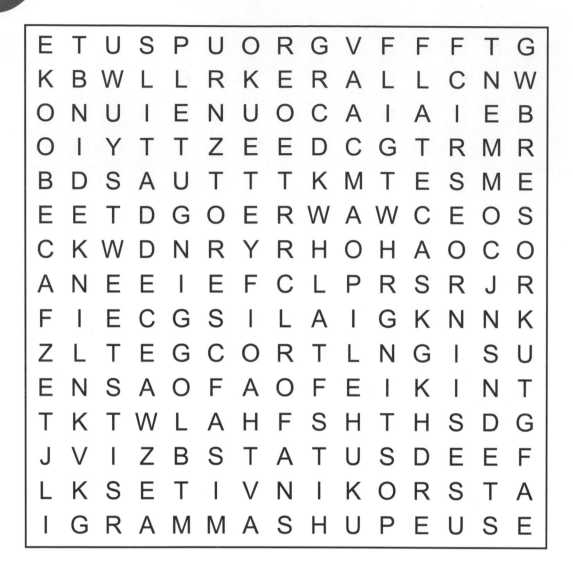

```
E T U S P U O R G V F F F T G
K B W L L R K E R A L L C N W
O N U I E N U O C A I A I E B
O I Y T T Z E E D C G T R M R
B D S A U T T K M T E S M E
E E T D G O E R W A W C E O S
C K W D N R Y R H O H A O C O
A N E E I E F C L P R S R J R
F I E C G S I L A I G K N N K
Z L T E G C O R T L N G I S U
E N S A O F A O F E I K I N T
T K T W L A H F S H T H S D G
J V I Z B S T A T U S D E E F
L K S E T I V N I K O R S T A
I G R A M M A S H U P E U S E
```

BLOGGING
CHATTING
COMMENT
DIGG
FACEBOOK
FANS
FEEDS
FLICKR

FOLLOWER
FRIENDS
GROUPS
INVITE
LINKEDIN
LINKS
MASHUP
NETWORKING

ORKUT
POSTING
STATUS
TAGS
TWEETS
TWITTER
WIKI
YOUTUBE

ROMAN DEITIES

S	R	A	H	I	A	R	O	L	F	E	S	P	P	F
U	L	N	F	N	S	I	S	R	T	R	Y	R	I	O
U	R	O	D	U	H	B	N	A	O	Y	O	O	A	R
R	Y	L	H	U	A	P	B	M	R	S	E	M	M	T
B	I	L	N	S	O	P	J	N	E	H	V	V	L	U
E	P	E	J	M	L	N	O	R	P	V	T	I	L	N
F	A	B	E	U	H	L	P	L	N	O	B	I	M	A
A	D	N	T	E	C	I	U	E	L	E	M	M	M	E
R	A	O	T	F	N	X	A	N	R	O	F	O	V	F
E	D	V	D	E	H	S	U	A	A	O	J	E	N	O
N	E	M	Y	H	V	O	U	E	H	D	L	B	A	A
E	C	L	J	Q	N	O	W	L	I	Y	I	F	M	S
L	I	T	D	U	U	O	R	P	E	R	R	A	Y	P
E	M	H	J	W	R	I	U	T	A	A	R	S	N	M
S	A	A	V	U	L	C	A	N	A	S	C	P	X	A

ANTEVORTA	FLORA	MARS
APOLLO	FORNAX	MITHRAS
BELLONA	FORTUNA	MORS
CAELUS	HYMEN	PLUTO
CUPID	INUUS	POMONA
DECIMA	JUNO	PROSERPINE
DIANA	LIBERA	SELENE
FEBRUUS	LUNA	VULCAN

THREE "E"S

```
A A E E S E T E I G H T E E N
Y T K T B M F E E K S N E T P
E E A E E E E E V R O K N E R
I K C E G L E R E B M E R E E
E N D D B E B G L D M V S N S
E E E N E E L E P H E T R S E
T E E E X E D S R L R L E N
I D S R T H C E S E D E E M C
B N R E L M R E S E E S G B E
E E T V E F E S L T R E A L M
E T E E E Y N E N L B E T E E
A T E R R E P E D V E N E E R
S A O L S N G G E E R N E I E
R E T S E M E S O A R R T G E
A E E S A H E E U T Y E E H T
```

ATTENDEE	FEEDER	PRESENCE
BEETLE	GEESE	REDEEM
DEGREE	GENTEEL	REFRESHMENT
EIGHTEEN	HEEL-BONE	RESTLESSNESS
ELDERBERRY	INTERNEE	REVEREND
ENSEMBLE	LEGATEE	SEEDCAKE
EXCELLENT	MELEE	SEMESTER
FEEBLE	PERVERSE	VENEER

CAR MANUFACTURERS

```
S V H R E Y R O V E C G B A D
E Y Y T H G E P S H I S T R V
C G U O L U S L Z Z T R O U X
A E N E G L M A T A R F U E S
J D D G L S A O M N O O A H I
A J A U N A R H E Z E Y N C N
G E I E P A T K X M N B E S G
U E P P U O G N O U T V R R E
A D O K S W N R E V A E N O R
R N V E A E A T O N L V S P K
D A L E V F F H I M I A R L S
G S O O L A N C I A A T X T A
E E V A T T J A C H C E N V A
X D R Y P U D I K U Z U S O U
N M C H R Y S L E R E V O R C
```

ALFA ROMEO	HYUNDAI	ROVER
BENTLEY	JAGUAR	SINGER
CHRYSLER	LANCIA	SKODA
CITROEN	LOTUS	SMART
CONTINENTAL	MORGAN	SUZUKI
DAIMLER	PEUGEOT	TESLA
FORD	PONTIAC	VAUXHALL
HONDA	PORSCHE	VOLVO

FICTIONAL PLACES

```
U M Y B R O D N O G J S J H Y
D N Y C F P O U E G Z O N A T
A I K B U T J U C X T H O B I
N S S A E O T I O K K T T O C
A H M S I O A U K C B L P G D
X I U A Y N D T O I P U Y A L
W O N L L R A R L F T W R D A
M I A R O L D E O A T E K G R
D N H G A E V N C F N S Z Q E
D R O U B N R I E O P T N H M
L T A A I T L E L W S E I G E
H W W G M B T A W L F R T S U
X A M P S O V E Y H E O H S L
E L D O R A D O E J O S R F S
E Y I Y R R E B Y A M N T D U
```

ASGARD	EREWHON	OCEANIA
ATLANTIS	GONDOR	SMALLVILLE
AVALON	KITEZH	STEPFORD
BEDROCK	KRYPTON	TOYLAND
DAGOBAH	MAYBERRY	UDROGOTH
DUCKBURG	MOUSETON	ULTHOS
EL DORADO	NARNIA	WESTEROS
EMERALD CITY	NEWFORD	XANADU

GOLFING TERMS

```
V E R I C E T U B I R D I E J
D A F B R A S S I E D Y A S O
E D L O O K H R J O S G N C X
S G F B S G E S C X L O H K C
V W R H A T E S P E R R E E I
S T D E T T T Y R I S T A X G
C P S U E Y R F K V K L C N F
R W P A T N T O A L K E I A O
A A O W J H O J S H E W S C I
T I O O G H U E C S S P W W E
C B L U D F A R N K B L O F T
H A O P M E T E C O B L W V A
Y R O T C E J A R T R V A A Y
S E T C L U B H E A D P I D H
W T O H S H C A O R P P A F E
```

ALBATROSS

APPROACH
  SHOT

APRON

BACK SWING

BIRDIE

BLADE

BOGEY

BRASSIE

CLUB HEAD

EAGLE

FORE

GREEN

HOOK IRONS

LOFT

PUTTER

ROUGH

SCRATCH

SHAFT

SLICE

SPIKES

SPOOL

TEMPO

TRAJECTORY

WOOD

SNOW WHITE

```
B R S E K Y A Y O U Y C H S M
M E G O M I O E E H J F S L R
O H N E V E S N O H R M P H F
C T S P E R A S F A I R E S T
B O R D E K C I W R P K L C N
Y M U M A V P D R N D P L P O
P P M N M M S O A Q U R L A E
G E P A E L R M V B U H A E G
N T I A E E S C Y G L E J T N
I S U E H T D U I E R Z E B U
N L P F N F H L F G P U R N D
I Y E U K D I R E I A O M E S
M D H G P O I S O N N M D P A
A L O H R C A F A N F Z S B Y
B S E P R E N T E P E Y F U R
```

APPLE	GRUMPY	POISON
COMB	HAPPY	QUEEN
DISNEY	HUNTSMAN	SEVEN
DOC	KISS	SLEEPY
DOPEY	MAGIC	SPELL
DUNGEON	MINING	STEPMOTHER
DWARF	MIRROR	THRONE
FAIREST	NEEDLE	WICKED

GREEK DEITIES

```
S D W S A L L A P I A S E Y B
U A P R E I C C S O I L E H A
I Z H A E Q B U D N E T T A M
T O E Y L H R Y C H Y D R O S
E L G M M A E O R W S A F I E
O L R F T E E M Z U A M U H L
N A M R G U N S E A E T F T E
E H A J S J O Z T R P U L U N
M T M C E A R C E R A O O A E
E D V A D C I H E N A S L E S
U V V O T U O C A A O N E L K
Z K N H Z T N C R P N I A A O
W I F E Y U O S Z I S U P K K
S E S R E P A N B W U O S E B
T B B S U I P A L U C S E A L
```

ADONIS

AESCULAPIUS

APOLLO

ATLAS

COEUS

CRIUS

EPIONE

EURYBIA

HELIOS

HEMERA

HYDROS

HYMEN

MATTON

MENOETIUS

OCEANUS

ORION

PALAESTRA

PALLAS

PERSES

RHAPSO

SELENE

TARTARUS

THALLO

ZEUS

ALL POINTS

```
A G U M O K S Z E N E S E N E
G N G O Z T C L A C O F F Q I
N I V N A U D E J N J I Q N N
I N D N I E W P H U Q X P V W
K R D H E H C T M C I E M E O
C U X N C U S P R E C D S Q R
I T A H R T I I F I E T L U B
T A A I V N A M N D P A Z I J
S L E B G K H M A A M L U N F
I A I O B J E C T I V E E O E
S G F M S R K B C F X B X C N
V F A T I C M E L T I N G T A
R J E V I T D A R O W E S I J
O A S H E S S A P M O C T A Z
M T C P M H X D E W Y I E L D
```

BROWNIE	FLASH	STAND
CHECK	FOCAL	STEAM
COMPASS	JUMPING-OFF	STICKING
CURIE	LIMIT	TRIPLE
DECIMAL	MATCH	TURNING
EQUINOCTIAL	MELTING	VANISHING
EXTRA	NEEDLE	WEST
FIXED	OBJECTIVE	YIELD

```
B D U C C R M Y Y S Q H W E Y
C A O L E O T E L T S I M D D
R I O H D J A A F L P Y T I O
B A T S R K S G L S O N N H F
K V I L A N O R A Z E H B G D
S W R S E C A C U I T A W I D
E C H O R C R I C X R F U R E
V A E T R I B N R D Y D R B T
O I E R F G A U S A D N S M S
R L E I E A G P H E P T E N I
G L C E O M S B S M S T N G E
D E R C A S O R H E A L I N G
J A Q U A H O N I I M B O L C
O C G T V G C R Y S T A L D E
Z H U S E L P M E T O V Y E U
```

AKASHA	CLOAK	MAGIC
ANCIENT	CRYSTAL	MISTLETOE
ARIANRHOD	EISTEDDFOD	POETRY
BARDS	GORSEDD	PRIESTS
BRIGHID	GROVES	SACRED
CAILLEACH	HEALING	SACRIFICE
CELTIC	HOLLY	TEMPLES
CEREMONY	IMBOLC	WISDOM

MONEY

```
S L A R E D N E T L A G E L T
L A I B U L L I O N A Y S E N
O T G A Y D I S B U S F G R A
O I G N I T N I M S S I N I R
A P E K I I A S E E O N I N G
F A R R Y D D S T V O A V T F
F C U O M V N O S I V N A E Q
L G E L S C N U T E K C S R R
U E G L H P P C F G T E C E S
E G R A H C E M L N M S D S N
N S N S W L N R E T G R E T A
C G S T L K S D I S O H P V E
E S P O A M I O N T C D E R M
E X C I S E O L E I Y T R A R
C D G M Y C N E R R U C N H A
```

AFFLUENCE	CURRENCY	MINTING
ASSETS	EXCISE	NOTES
BANKROLL	FINANCES	ORDER
BULLION	FUNDING	PENSION
CAPITAL	GRANT	PROSPERITY
CHANGE	INTEREST	RICHES
CHARGE	LEGAL TENDER	SAVINGS
COLLECTION	MEANS	SUBSIDY

OPINIONS

```
E T N I O P W E I V I N T G S
N U T A S S U M P T I O N N D
D O C T R I N E H V A O Z T N
W N I N O I T A M I T S E O I
T O O T H E O R Y I F N T I M
A I N I I V G R O E E U H M F
R T K H T S Z N I T I F G P O
J C P F W P O L I C A S U R E
U I Z R K W E P H L T I O E T
D V N X E B T C C A E S H S A
G N B G Z M N O N A C E T S T
M O F U Z A I C U O X H F I S
E C J E N D E S H U C T B O L
N A S S E S S M E N T W F N A
T U X S N O I T A L U C E P S
```

ASSESSMENT	FEELING	SPECULATION
ASSUMPTION	GUESS	STANCE
BELIEF	HUNCH	STATE OF MIND
CANON	IMPRESSION	TENET
CONCEPTION	JUDGMENT	THEORY
CONVICTION	NOTION	THESIS
DOCTRINE	POSITION	THOUGHT
ESTIMATION	PREMISE	VIEWPOINT

MUSICAL INSTRUMENTS

```
P  A  F  E  N  O  B  M  O  R  T  I  S  Y  K
Y  N  A  G  R  O  E  T  O  L  L  E  C  R  V
H  O  S  E  E  H  C  L  L  E  V  L  R  R  H
S  A  X  H  O  R  N  E  E  C  G  G  E  E  U
C  O  R  N  E  T  I  B  L  L  N  U  B  H  R
S  N  P  P  L  B  A  A  M  E  U  B  E  T  D
T  A  N  V  S  G  V  R  Q  W  S  K  C  I  Y
E  I  T  J  P  I  V  M  E  V  A  T  U  Z  G
N  P  E  I  E  G  C  V  E  M  V  H  A  U  U
A  A  P  R  A  P  S  H  S  K  I  I  S  R  R
T  E  M  G  A  B  R  E  O  W  P  C  O  Z  D
S  T  U  L  O  T  A  B  O  R  D  B  L  L  Y
A  A  R  I  T  O  I  A  S  K  D  E  G  U  A
C  K  T  S  U  O  M  U  U  S  E  N  A  E  D
O  F  O  A  I  H  E  L  G  N  A  I  R  T  L
```

BAGPIPES	GUITAR	SHAWM
BUGLE	HARPSICHORD	TABOR
CASTANETS	HURDY-GURDY	TRIANGLE
CELESTA	MOOG	TROMBONE
CELLO	ORGAN	TRUMPET
CLAVIER	PIANO	UKULELE
CORNET	REBEC	VIOLA
DULCIMER	SAXHORN	ZITHER

OPERAS

```
S F A R L M U D O T E N M X G
I V E D O N G I O V A N N I C
A E P L A Z D Z S M C Y K P V
H S C E L O R U E F S R C U D
T E E I M I E E I V O V E R H
H M D E D J E D H B T E Z I G
E B N Z E I E R I T V H Z T B
T E N N O L R L I I R T O A I
O S U E I L A U U M E E W N L
G F U O T D S J E U T B W I L
A V M A L A A E Z R S C M J Y
S P V M F L N Y M M E A E Y B
Q S A L O M E H E E C M D A U
F I R Z A A R T K E L E E S D
A M R O N W O W O A A E E R D
```

AKHNATEN	FIDELIO	NORMA
ALCESTE	I PURITANI	OTELLO
BILLY BUDD	IDOMENEO	SALOME
DALIBOR	JENUFA	SEMELE
DON GIOVANNI	LA JUIVE	THAIS
ELEKTRA	MACBETH	TOSCA
EURIDICE	MEDEE	WERTHER
FAUST	MIREILLE	WOZZECK

"GRAND…"

```
T O G W Y R O T I S I U Q N I
D H H R F E R I O S E B E S T
L G U C L D X P E M R Y D Q T
Y J O D N A L S I C F U Y S D
D Z S N E G T R T W A N O V R
U N Y E A S E O E C S N G T S
C D A C E I N H T H G E Y O P
H F H T N A P L T I U O N O E
E C L R S E A P F L C S F E N
S I A B N N R N E D R M F Y R
S M N N O B E I H R O L A E E
D Y G I A E N E T E S J Z L T
E S T F S L T C S N S Y A C S
F A T H E R S E R Y O R M N A
N P E M E R E T H G U A D U M
```

CANAL	ISLAND	PIANO
CANYON	JURY	SLAM
CHILDREN	MARNIER	SONS
CROSS	MASTER	STAND
DAUGHTER	NATIONAL	THEFT
DUCHESS	NEPHEW	TOTAL
FATHER	NIECE	TOURS
INQUISITOR	PARENTS	UNCLE

INVENTORS

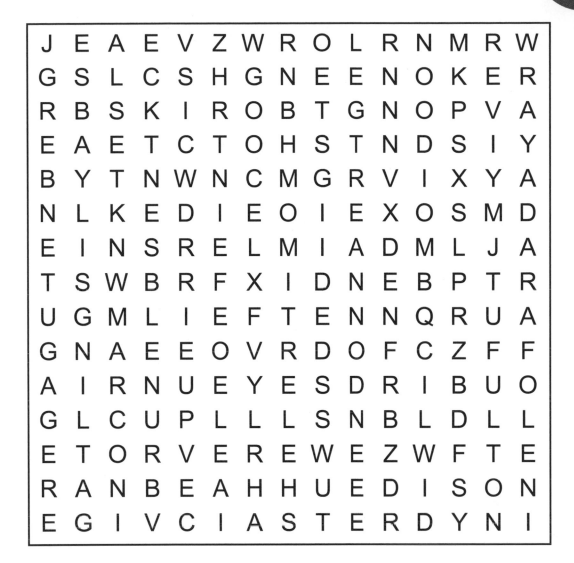

```
J E A E V Z W R O L R N M R W
G S L C S H G N E E N O K E R
R B S K I R O B T G N O P V A
E A E T C T O H S T N D S I Y
B Y T N W N C M G R V I X Y A
N L K E D I E O I E X O S M D
E I N S R E L M I A D M L J A
T S W B R F X I D N E B P T R
U G M L I E F T E N N Q R U A
G N A E E O V R D O F C Z F F
A I R N U E Y E S D R I B U O
G L C U P L L L S N B L D L L
E T O R V E R E W E Z W F T E
R A N B E A H H U E D I S O N
E G I V C I A S T E R D Y N I
```

BAYLIS	EDISON	MORSE
BENDIX	FARADAY	NEWTON
BIRDSEYE	FULTON	NOBEL
BRUNEL	GATLING	RICHTER
CARLSON	GUTENBERG	SINGER
DAIMLER	MARCONI	TESLA
DE SEVERSKY	MENDELEEV	VOLTA
DYSON	MONTGOLFIER	WHITTLE

DRINKS

```
F E R G P B A E S B R O F O Y
C E R S E G H T U O M R E V E
D C D P L A D V O C A A T P K
H R C P U L E M O N A D E E S
U E V A J E C S T M R R Y C I
J M R N N P U A U A N N O I H
I E E H W G A N M O W T K U W
N D G C V O O B D P C E D J Y
I E A S C E U C B H A Y F T D
T M L O R I E D A V H R R I N
R E C T E S B E Y V O E I U A
A N R O O T B E E R D D W R R
M T D A I Q U I R I R I K F B
G H C A L V A D O S N E I A A
Z E N U I C E R R E P G P O K
```

ADVOCAAT	DAIQUIRI	PERRY
BRANDY	DRAMBUIE	ROOT BEER
CALVADOS	FRUIT JUICE	SCHNAPPS
CAMPARI	JULEP	SCOTCH
CLARET	LAGER	VERMOUTH
COCOA	LEMONADE	VODKA
COGNAC	MARTINI	WHISKEY
CREME DE MENTHE	PERNOD	WINE

DOUBLE "N"

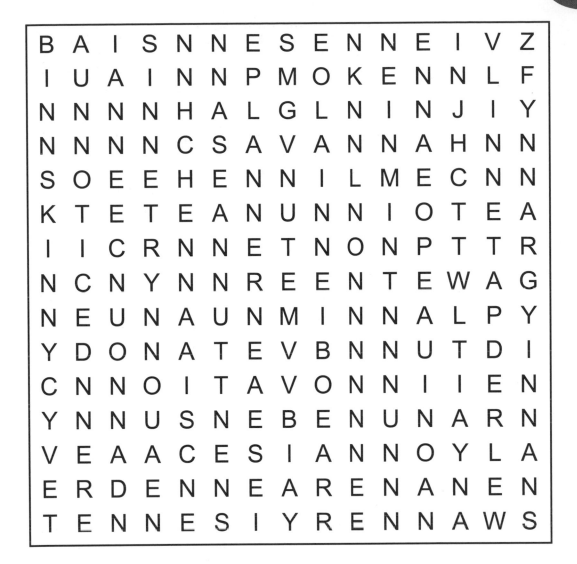

```
B A I S N N E S E N N N E I V Z
I U A I N N P M O K E N N L F
N N N N H A L G L N I N J I Y
N N N N C S A V A N N A H N N
S O E E H E N N I L M E C N N
K T E T E A N U N N I O T E A
I I C R N N E T N O N P T T R
N C N Y N N R E E N T E W A G
N E U N A U N M I N N A L P Y
Y D O N A T E V B N N U T D I
C N N O I T A V O N N I I E N
Y N N U S N E B E N U N A R N
V E A A C E S I A N N O Y L A
E R D E N N E A R E N A N E N
T E N N E S I Y R E N N A W S
```

ANNOTATE	GRANNY	SAVANNAH
ANNOUNCE	HENNA	SKINNY
ANNULAR	INNATE	SONNET
BIENNIAL	INNOVATION	SUNNY
BONNET	LINNET	SWANNERY
CENTENNIAL	LYONNAISE	TENNIS
CONNIVANCE	NANNY	UNNOTICED
DINNER	PLANNER	VIENNESE

VARIETIES OF GRAPE

```
R E N R E K T A V W B T N P S
G A M B G Z M N W K F K O F H
L C T E R A N I E Y K D L C W
G J A U L B J M S G A O O A F
N Y B M C S E O R A E M C R E
K I S Y R A H D E X A R A I A
N E S P I N O T B L A N C G N
Y M Z A S I R H B J C S R N O
O Z W S B G A A C O P E Z A T
L O E A E E R M N D V M S N A
O O I N M I L I I A U I E O P
N S G W N W A L L T K L Y R P
G S E O D W H E A W P L V V A
I J L H E D P L D I E O A A R
P Y T H E O N A I F R N L M F
```

ACOLON	ISABELLA	PINOT BLANC
ALBARINO	KERNER	REGENT
CARIGNAN	LIMNIO	RUBIN
DOMINA	MALMSEY	SEMILLON
FIANOE	MAVRO	SEYVAL
FRANCONIA	OPTIMA	SYRAH
FRAPPATO	PELAVERGA	TERAN
GAMAY	PIGNOLO	ZWEIGELT

WEATHER

```
J F V T N O R F M R A W E T R
L O W P R E S S U R E G C S A
H G Y C G Q Y F R O S H U B B
S G D B U S A L O E A M A M O
E Y J A Z H C D L N M R S M S
R A L F U U L W G A O M P Y I
F L Q M R U E E R M C W K K Z
Y W I A S U A Y E B X O S G C
X D I H I B R T C F S D L I T
L N L T L Y E W I N D Y E Y R
Y J G E U R T A O S R R E M A
Z S P E Z B U S G X E F T O H
T N E M E L C N I V T L M O C
T Y P H O O N B E M Y D A L W
C R L M R O T S U L T R Y G H
```

BAROMETER	HUMID	SLEET
CHANGEABLE	INCLEMENT	SQUALLY
CHART	ISOBAR	STORM
CLEAR	LOCALLY	SULTRY
FOGGY	LOW PRESSURE	SUMMARY
FRESH	MISTY	TYPHOON
GALES	RAINY	WARM FRONT
GLOOMY	SEVERE	WINDY

CEREMONIES

```
G N I N E T S I R H C O H I N
U N V E I L I N G H P E M N F
N I I S N E U N N E S S L V D
G V I P L U A O N O I A A E B
D N N I T P P I D T T F D S A
H E I N G E N T P T T I P T F
A T T D P G R A I J C M P I R
P N I U D G B M E A H C E T U
P A A C D E M R T B L S L U M
U E T T H O W I M A T S U R I
H G I I C A O F H A R S U E I
C A O O O N N N K U T A N G I
F P N N N Y N O M I R T A M O
L U S T R U M C Y M A U N D Y
E N O I T A R U G U A N I U I
```

BAPTISM	FIESTA	MAUNDY
CHANOYU	INAUGURATION	NIPTER
CHRISTENING	INDUCTION	NUPTIALS
CHUPPAH	INITIATION	OPENING
COMMITTAL	INVESTITURE	PAGEANT
CONFIRMATION	LUSTRUM	TANGI
DEDICATION	MATRIMONY	UNVEILING
DOSEH	MATSURI	WEDDING

TWICE THE FUN

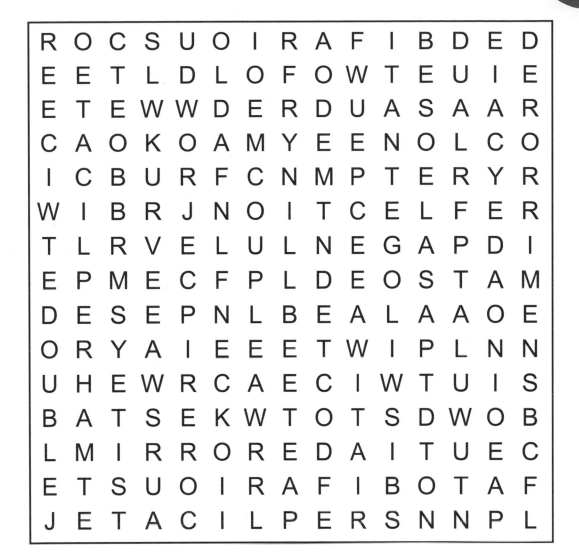

```
R O C S U O I R A F I B D E D
E E T L D L O F O W T E U I E
E T E W W D E R D U A S A A R
C A O K O A M Y E E N O L C O
I C B U R F C N M P T E R Y R
W I B R J N O I T C E L F E R
T L R V E L U L N E G A P D I
E P M E C F P L D E O S T A M
D E S E P N L B E A L A A O E
O R Y A I E E E T W I P L N N
U H E W R C A E C I W T U I S
B A T S E K W T O T S D W O B
L M I R R O R E D A I T U E C
E T S U O I R A F I B O T A F
J E T A C I L P E R S N N P L
```

BIFARIOUS	DUAL	REPLICATE
BIFARIOUS	DUAL	REPLICATE
CLONE	MIRRORED	TWICE
CLONE	MIRRORED	TWICE
COUPLE	REFLECTION	TWIN
COUPLE	REFLECTION	TWIN
DOUBLE	REPEAT	TWOFOLD
DOUBLE	REPEAT	TWOFOLD

CANADA

```
A R A S G U A B O T I N A M P
F R E W N L Q G N U N A V U T
A T R I G U C W Y N Y A R D B
O T T F E Y E K C O H O T W K
E Y S T Y V M E L A R C H S E
D N I C A H S U B A W K W O L
M C W U N C R C O I R A T N O
O C I R E D D E E R A T F O W
N O N R T V D B A A A O I D N
T C D E O Q U E A W A R R N A
O H S N O U P U A M D D Y O M
N R O T K A A Q L N E W U L E
I A R A U S D A N N G R K K F
E N O E P I K W A J E S O O M
I E R E V E L S T O K E N Q M
```

COCHRANE	MOOSE JAW	SWIFT CURRENT
EDMONTON	NUNAVUT	UNITY
FOAM LAKE	ONTARIO	WABUSH
HOCKEY	OTTAWA	WINDSOR
KELOWNA	QUEBEC	WYNYARD
KOOTENAY	QUETICO	YOHO
LONDON	RED DEER	YORKTON
MANITOBA	REVELSTOKE	YUKON

MOODS

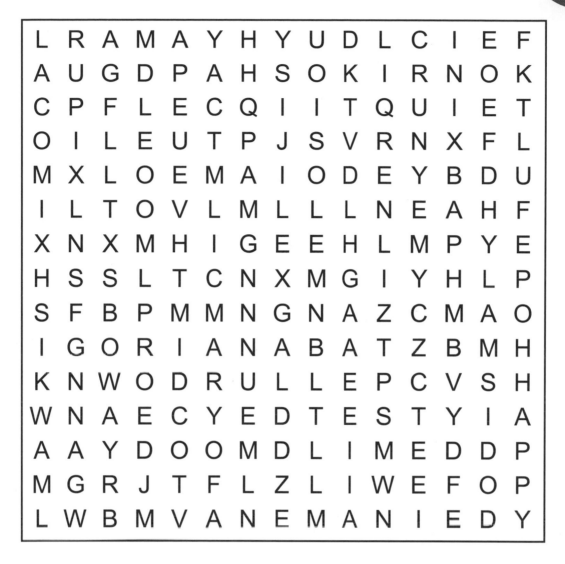

```
L R A M A Y H Y U D L C I E F
A U G D P A H S O K I R N O K
C P F L E C Q I I T Q U I E T
O I L E U T P J S V R N X F L
M X L O E M A I O D E Y B D U
I L T O V L M L L N E A H F
X N X M H I G E H L M P Y E
H S S L T C N X M G I Y H L P
S F B P M M N G N A Z C M A O
I G O R I A N A B A T Z B M H
K N W O D R U L L E P C V S H
W N A E C Y E D T E S T Y I A
A A Y D O O M D L I M E D D P
M G R J T F L Z L I W E F O P
L W B M V A N E M A N I E D Y
```

AMIABLE	INSPIRED	OPTIMISTIC
DISMAL	JOLLY	PEEVISH
DOWN	LAZY	QUIET
ELATED	LOVING	SOLEMN
GLEEFUL	MAUDLIN	TESTY
GLUM	MAWKISH	TETCHY
HAPPY	MELANCHOLIC	TOUCHY
HOPEFUL	MOODY	WARM

RIVERS OF THE USA

```
N E N E K E T M M A U M E E S
S F T T O O F K C A L B T S T
O O Z A Y P O D O A R T I C V
C N C S O Y U T O E A A H A J
E U Z E U U Y E S L E T W N R
S L M K S Y S A P O P O S E A
O P U B E H D H O W O T D I N
C K G H E U T E N E E R E H I
E S D P L R G B Z N H O A C B
P P A A O M L N S S B S S T M
D U S N O H O A O T R E O A E
G N C A R D S O N T A A O H P
H S A B A W S P S D Z U C C S
D A E R C N A P A E O K A V E
G A R D G N E E R G S V B I E
```

AROOSTOOK	KOYUKUK	ROSEAU
BLACKFOOT	MAUMEE	SALUDA
BRAZOS	MOOSE	SHEPAUG
COOSA	NORTH PLATTE	TENSAS
CUMBERLAND	OWENS	TONGUE
GRAND	PEARL	WABASH
GREEN	PECOS	WHITE
HATCHIE	PEMBINA	YAZOO

WRONG

```
U S F M A D A B Y R E V O S S
N N E M E Y S P E C I O U S W
J A I F U T T R R P H P N G L
U S G O R A R L H T L S S J U
S F N R T O E O U C M E O H F
T E E G N D N E P A O U U A N
D N D E U Y E T H X F D N Y I
H R O D F N E C H E D O D W S
I U A A E W T S E N O H S I D
S M L W I L V I E I T A S R R
T S M C O M U T M U T E I E M
E W K O D T E S K E N F A E S
O E N D R R N H O C L D U V V
D N N E P A O U B R L Y Z L B
B A G F L N L S O B Y O H V H
```

AMISS	FORGED	SO VERY BAD
DECEITFUL	HAYWIRE	SPECIOUS
DELUSORY	IMMORAL	UNJUST
DISHONEST	INEXACT	UNSOUND
ERRONEOUS	PHONY	UNTIMELY
FALSE	PRETEND	UNTOWARD
FAULTY	PSEUDO	UNTRUE
FEIGNED	SINFUL	WICKED

DENTISTRY

```
E N E M E L W L E M A N E J U
G E S B S T U M P H E S L E N
N N L A R E S S U L U C L A C
I I M O U T H A M A L G A M N
N T W E N A E S P H O L E S W
A N T X R A Y I B H J O I A K
E E T T R P A I S B T K K R H
L D A R L T C B R C R O W N D
C Y R A E F E I R E A E O D E
B R T C A W D E C U U V T T P
E E A T Q G D A T H S Q I B E
D C R I E E R H A H T H A T L
G L T O X B I D V U E D I L Y
N U E N K C I P R E T A W N P
C Z B W P O L I S H N O A G G
```

AMALGAM	DECAY	PLATE
BRACE	DENTINE	POLISH
BRIDGE	DRILL	STUMP
BRUSHING	ENAMEL	TARTAR
CALCULUS	EXTRACTION	TEETH
CAVITY	MOUTH	TOOTHPASTE
CLEANING	NURSE	ULCER
CROWN	PLAQUE	WATER PICK

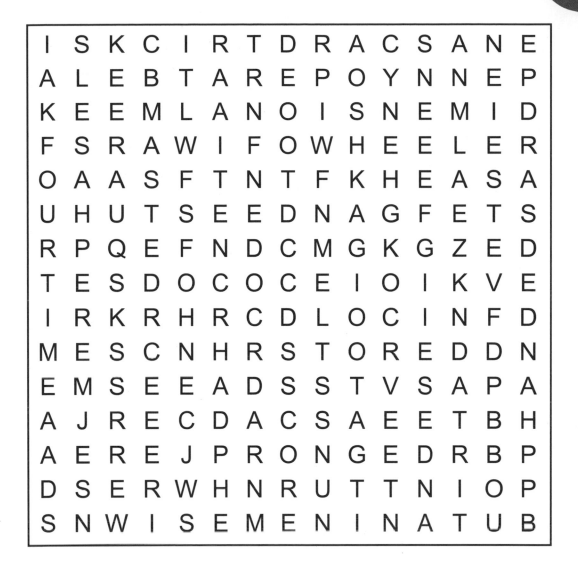

```
I  S  K  C  I  R  T  D  R  A  C  S  A  N  E
A  L  E  B  T  A  R  E  P  O  Y  N  N  E  P
K  E  E  M  L  A  N  O  I  S  N  E  M  I  D
F  S  R  A  W  I  F  O  W  H  E  E  L  E  R
O  A  A  S  F  T  N  T  F  K  H  E  A  S  A
U  H  U  T  S  E  E  D  N  A  G  F  E  T  S
R  P  Q  E  F  N  D  C  M  G  K  G  Z  E  D
T  E  S  D  O  C  O  C  E  I  O  I  K  V  E
I  R  K  R  H  R  C  D  L  O  C  I  N  F  D
M  E  S  C  N  H  R  S  T  O  R  E  D  D  N
E  M  S  E  E  A  D  S  S  T  V  S  A  P  A
A  J  R  E  C  D  A  C  S  A  E  E  T  B  H
A  E  R  E  J  P  R  O  N  G  E  D  R  B  P
D  S  E  R  W  H  N  R  U  T  T  N  I  O  P
S  N  W  I  S  E  M  E  N  I  N  A  T  U  B
```

BLIND MICE	LEAFED CLOVER	PRONGED
CARD TRICK	LEGGED RACE	SCORE
CHEERS	MASTED	SQUARE
CORNERED	MEN IN A TUB	STOOGES
DECKER	OF A KIND	STRIKES
DIMENSIONAL	PENNY OPERA	TENORS
FOUR TIME	PHASE	WHEELER
HANDED	POINT TURN	WISE MEN

BEND

```
E V R E W S L C R O U C H A E
W S A G J E T R E V R U C E K
O A I V E S H T E B L I O O D
B W T N I D U T U D N O O S E
L E K W Y L I C T C N R W E F
E N T L O E K V L C C A D E O
A E I V O L A I E R Y A E A R
E Z N G E T N D A R U R S M M
U O T X C E G N I S G F L A X
C J E R A V L J R S A E I T E
P R P F O P Y E C U T A M L P
T K F D O T P B Y B T O G T X
F L I O W T N L I M X N R E D
E P T N E C E O M I A R L T L
R S L D K G V A C T S F A O P
```

ANGLE	DISTORT	LOWER
BUCKLE	DIVERGE	MEANDER
CONTORT	ELBOW	PERSUADE
CONVOLUTE	EXERT	STOOP
CROOK	FLEX	SUBMIT
CROUCH	INCLINE	SWAY
CURVE	KINK	SWERVE
DEFORM	KNEEL	TWIST

PICNIC HAMPER

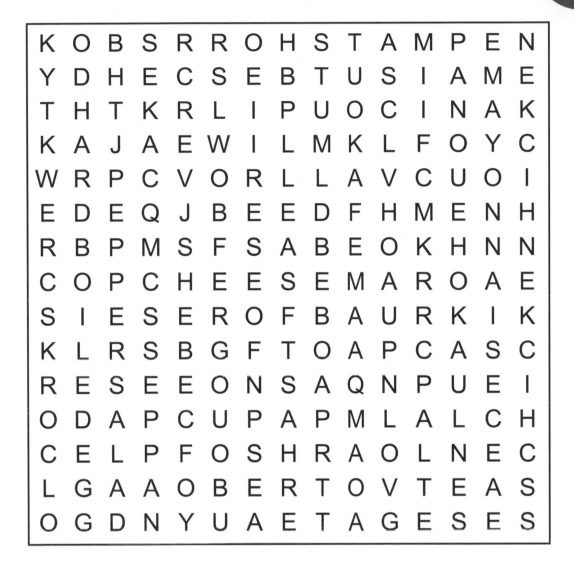

```
K O B S R R O H S T A M P E N
Y D H E C S E B T U S I A M E
T H T K R L I P U O C I N A K
K A J A E W I L M K L F O Y C
W R P C V O R L L A V C U O I
E D E Q J B E E D F H M E N H
R B P M S F S A B E O K H N N
C O P C H E E S E M A R O A E
S I E S E R O F B A U R K I K
K L R S B G F T O A P C A S C
R E S E E O N S A Q N P U E I
O D A P C U P A P M L A L C H
C E L P F O S H R A O L N E C
L G A A O B E R T O V T E A S
O G D N Y U A E T A G E S E S
```

APPLES

BANANAS

BOWLS

BREAD

CAKES

CHEESE

CHICKEN

CLOTH

COFFEE

CORKSCREW

CUCUMBER

FORKS

GATEAU

HAMPER

HARD-BOILED
   EGG

MAYONNAISE

ORANGE

PEPPER

PICKLES

PLATE

SALAD

SPOON

TOMATOES

WATER

BOOK TITLES

```
P N A L A D Y S U S A N W C L
R A I L E H T R A T E R L B Y
T H E G U A E U K O B G D E D
A M E S I C I P R O T U S Q L
K M C T K R A H L R N S H R I
I G G L E N O R A E Y F E I T
U I E I D I L T D D H S Y A T
L S F O N B N H O R R E M F L
S O R T H E B E L L S M H Y E
K A L J S L H G E X E R V T W
A E P I U T M O T D F E W I O
G N E B T A K A H I I O S N M
N R B M R A F L A M I N A A E
E E B U R N B R I G H T F V N
R E V I H S A P O L O G Y R A
```

ANIMAL FARM	ENIGMA	SHIVER
BLUBBER	LADY SUSAN	THE BELLS
APOLOGY	LITTLE WOMEN	THE GOAL
BURN BRIGHT	LOLITA	THE HELP
DEENIE	ORIGIN	THE LIAR
DRACULA	PANDORA	THE ODYSSEY
DUNE	RECKLESS	VANITY FAIR
EMMA	ROOTS	YEAR ONE

VALENTINE

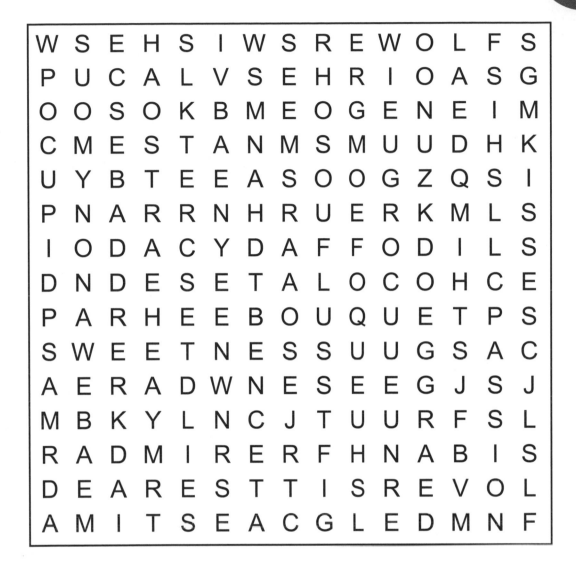

```
W S E H S I W S R E W O L F S
P U C A L V S E H R I O A S G
O O S O K B M E O G E N E I M
C M E S T A N M S M U U D H K
U Y B T E E A S O O G Z Q S I
P N A R R N H R U E R K M L S
I O D A C Y D A F F O D I L S
D N D E S E T A L O C O H C E
P A R H E E B O U Q U E T P S
S W E E T N E S S U U G S A C
A E R A D W N E S E E G J S J
M B K Y L N C J T U U R F S L
R A D M I R E R F H N A B I S
D E A R E S T T I S R E V O L
A M I T S E A C G L E D M N F
```

ADMIRER	FLOWERS	POETRY
ANONYMOUS	GIFTS	ROMANCE
BOUQUET	GUESS	ROMEO
CHOCOLATES	HEARTS	ROSES
CUPID	HUGS	SECRET
DAFFODILS	KISSES	SWEETNESS
DEAREST	LOVERS	TENDER
DREAMER	PASSION	WISHES

CANADIAN LAKES

```
G A A I X S E D R I B W O N S
G O A M A D J U A K I C K J O
Z E G L N V I P J Z G G A E L
V I M U E S K O Z H T B S D L
M O J R C R R H A J R U B L I
N K B E A S A T I K O N A K H
F I M E T Z T D A T U S Q T C
T L E D E O P G E T T G E C R
B U J N H K P O S C H N Y P U
H T L I E M E R I U Y L I S H
E K C E K R Z S R R W T I O C
A A O R M X L O W V A M E N P
Y P K L U A N E E Y C T J E A
K A E Z N W L R P O Y K N I H
H N T D A L E U E E S I U O L
```

AMADJUAK	ISLAND	REINDEER
ATIKONAK	JOSEPH	SALMON
BIG TROUT	KASBA	SCUGOG
CEDAR	KLUANE	SIMCOE
CHURCHILL	LOUISE	SNOWBIRD
HAZEN	NAPAKTULIK	TATHLINA
HOTTAH	ONTARIO	TEHEK
HURON	POINT	TULEMALU

BUZZWORDS

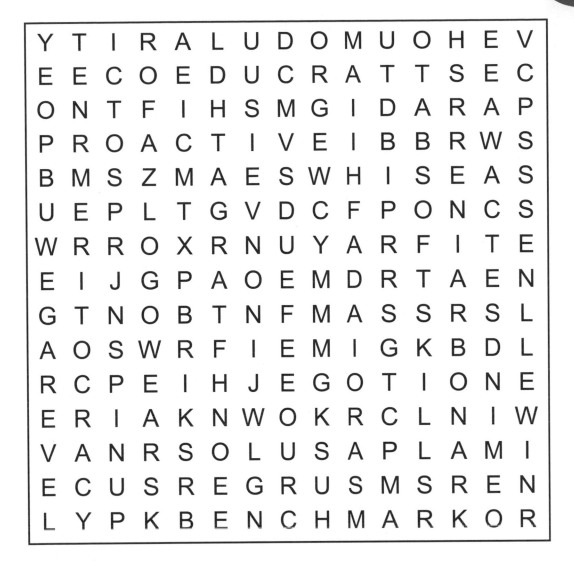

```
Y T I R A L U D O M U O H E V
E E C O E D U C R A T T S E C
O N T F I H S M G I D A R A P
P R O A C T I V E I B B R W S
B M S Z M A E S W H I S E A S
U E P L T G V D C F P O N C S
W R R O X R N U Y A R F I T E
E I J G P A O E M D R T A E N
G T N O B T N F M A S S R S L
A O S W R F I E M I G K B D L
R C P E I H J E G O T I O N E
E R I A K N W O K R C L N I W
V A N R S O L U S A P L A M I
E C U S R E G R U S M S R E N
L Y P K B E N C H M A R K O R
```

BANDWIDTH

BENCHMARK

COMFORT ZONE

EDUCRAT

FRAMEWORK

LEVERAGE

LOGISTICS

LOGOWEAR

MAKE IT POP

MERITOCRACY

MINDSET

MODULARITY

NO-BRAINER

PARADIGM
  SHIFT

PROACTIVE

REAL TIME

SOFT SKILLS

SPAM

SPIN-UP

SURGE

TOUCH BASE

VERBIFY

WELLNESS

WIN-WIN

BRITISH STATESMEN AND POLITICIANS

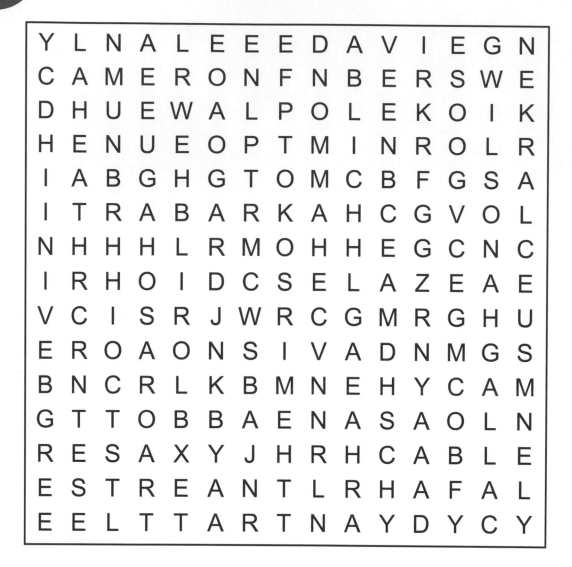

```
Y L N A L E E E D A V I E G N
C A M E R O N F N B E R S W E
D H U E W A L P O L E K O I K
H E N U E O P T M I N R O L R
I A B G H G T O M C B F G S A
I T R A B A R K A H C G V O L
N H H H L R M O H H E G C N C
I R H O I D C S E L A Z E A E
V C I S R J W R C G M R G H U
E R O A O N S I V A D N M G S
B N C R L K B M N E H Y C A M
G T T O B B A E N A S A O L N
R E S A X Y J H R H C A B L E
E S T R E A N T L R H A F A L
E E L T T A R T N A Y D Y C Y
```

ABBOTT	CAMERON	HARMAN
ATTLEE	CHAKRABARTI	HEATH
BALDWIN	CLARKE	LLOYD GEORGE
BEVIN	CLEGG	MORRISON
BLAIR	CORBYN	OWEN
BROWN	DAVIS	THORNBERRY
CABLE	HAGUE	WALPOLE
CALLAGHAN	HAMMOND	WILSON

BEHIND BARS

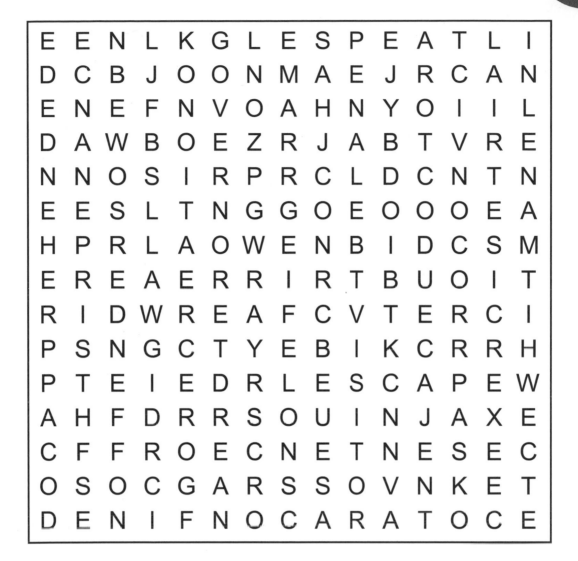

```
E E N L K G L E S P E A T L I
D C B J O O N M A E J R C A N
E N E F N V O A H N Y O I I L
D A W B O E Z R J A B T V R E
N N O S I R P R C L D C N T N
E E S L T N G G O E O O O E A
H P R L A O W E N B I D C S M
E R E A E R R I R T B U O I T
R I D W R E A F C V T E R C I
P S N G C T Y E B I K C R R H
P T E I E D R L E S C A P E W
A H F D R R S O U I N J A X E
C F F R O E C N E T N E S E C
O S O C G A R S S O V N K E T
D E N I F N O C A R A T O C E
```

APPREHENDED	EXERCISE	PENANCE
CONFINED	FELONS	PRISON
CONVICT	FORGER	RECREATION
CORRECTION	GOVERNOR	ROBBER
CROOK	HITMAN	SENTENCE
DETAINED	OFFENDERS	TRIAL
DOCTOR	OFFICER	VISITOR
ESCAPE	PENAL	WALLS

WINTER

```
H G U O C T C K I R R S L S S
Z O O J E L A Y E E B B T L G
A N S E R L H V A S L N N A L
T T L N I C I C L E O E L O O
Y S G V O H N F A I W E S C G
L K N O S W R K T Y S Y D E F
L A I R U A M A E F L E L A I
I T I B C W N A E R E C O H R
H I K S I R R T N O Y G C H E
C N S N E F U E L S T O R E I
I G T B I T Y S E T H D E S P
O R I V G P A P R Y T S U G T
Y H S W R A P U P W A R M A C
U L E A E F I Y R A U N A J C
A Z N E U L F N I R E S T E M
```

BLEAK	GUSTY	SCARF
CHILLY	HIBERNATION	SHIVER
COALS	ICICLE	SKATING
COLDS	INFLUENZA	SKIING
COUGH	JANUARY	SLEET
FROSTY	LOG FIRE	SNOWMAN
FUEL STORE	NEW YEAR	WINTRY
GALES	NIPPY	WRAP UP WARM

BONES OF THE BODY

```
G A R E S A U N F A N E G D O
E A S D C D F S N E P K I E T
I L H R T G T L J L M O Y L N
N U I P I F U A A B Z U R C H
J B N D B B S R L E S I R I J
S I S M I L T E P U L K P V M
A F Y R A E I A G I S B U A A
F I T S U Y R I U N O S Z L L
K R R Q S T A M B N A P G C L
W A I P Y A D L E G A L S X E
T R I B A B I M W T A U A L U
T N B N A V U T E E L N C H S
E R K W N H S L C C S A R G P
F L M A X I L L A A X T U R Z
E W Q T Y A V B H Y O E M R L
```

ANKLE	MALLEUS	SKULL
ANVIL	MAXILLA	SPINE
CLAVICLE	PATELLA	TALUS
FEMUR	PHALANGES	TARSALS
FIBULA	RADIUS	TIBIA
HIPBONE	RIBS	TRAPEZOID
ILIUM	SACRUM	TRIQUETRAL
LUNATE	SHINS	ULNA

NOBILITY

```
S N O I T I D A R T A G E P W
W F E B I M E I E H R E R K N
N W O R C C K T J A E I Y O Y
Y I S E A I A M N A N T I V R
T V I L N T E D L C S T T H R
I N A G S R E A E A A L O D E
L P D E I U S N N N E Z K D U
A O O U R E E Y O A X R U D Q
M P Q S I M D R R R H C I R E
R S S D P D O O H T H G I N K
O T A R R C Q S L E N T P W T
F L E A X W U A S I R E E R A
O S C U J E E S T A P O G C B
S A P G P W E Y T E T E M L I
C S T N A D N E C S E D A M E
```

CORONATION   ESTATE   PALACE

CROWN   FORMALITY   PRINCE

DESCENDANTS   GENTRY   QUEEN

DIGNITY   GRANDEUR   REALM

DUCHESS   GUARDS   SQUIRE

DYNASTY   KINGDOM   THRONE

EMPRESS   KNIGHTHOOD   TRADITIONS

EQUERRY   LADIES   WEALTH

MUSEUM PIECE

```
C Y N R E Y B X N U L E D E R
E B R P C Y M R B A W H A Z T
A L P O N M W M O V M E Y I H
P A I N T I N G U D N O B O S
C A P Z X S S K Y M U I R E L
S S T C A F I T R A H T N O I
I N W W N B B H O X L O Z L S
B O O K S T E L E N B P F S S
E D C A S E S T Y C E V S C O
E K M I A B G F H I S A F I F
T N E I C N A A I A K U G L D
T A P E S T R Y N S N L C E W
A D S D R O C E R O A T D R B
O W V R E G J O U M R S C E V
S U S T N E M U C O D I L H B
```

ANCIENT	EXHIBIT	RECORDS
ARTIFACTS	FOSSILS	RELICS
BONES	GREEK	ROMAN
BOOKS	HISTORY	STELE
CASES	IRON AGE	STONE AGE
DISPLAY	MOSAIC	TAPESTRY
DOCUMENTS	MUMMY	TUDOR
ELIZABETHAN	PAINTING	VAULTS

EXTINCT CREATURES

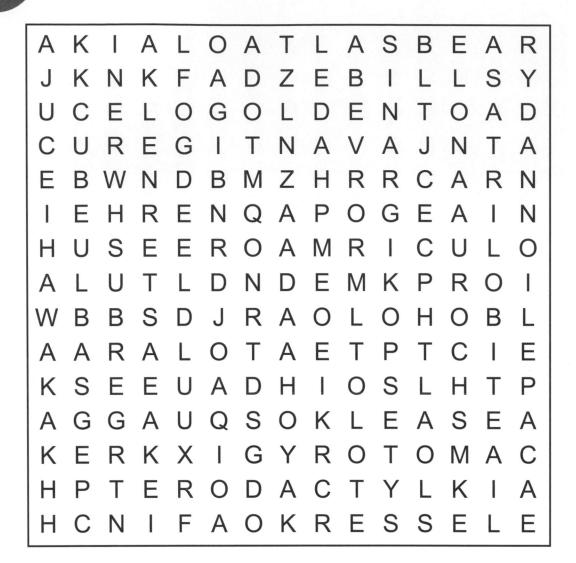

```
A K I A L O A T L A S B E A R
J K N K F A D Z E B I L L S Y
U C E L O G O L D E N T O A D
C U R E G I T N A V A J N T A
E B W N D B M Z H R R C A R N
I E H R E N Q A P O G E A I N
H U S E E R O A M R I C U L O
A L U T L D N D E M K P R O I
W B B S D J R A O L O H O B L
A A R A L O T A E T P T C I E
K S E E U A D H I O S L H T P
A G G A U Q S O K L E A S E A
K E R K X I G Y R O T O M A C
H P T E R O D A C T Y L K I A
H C N I F A O K R E S S E L E
```

ADZEBILL	EASTERN ELK	MAMMOTH
AKIALOA	GOLDEN TOAD	MASTODON
ATLAS BEAR	GREAT AUK	PIOPIO
AUROCHS	GYROTOMA	PTERODACTYL
BLUEBUCK	IRISH ELK	QUAGGA
BUSHWREN	JAVAN TIGER	RED RAIL
CAPE LION	KAKAWAHIE	TARPAN
DODO	LESSER KOA FINCH	TRILOBITE

SILENT "G"

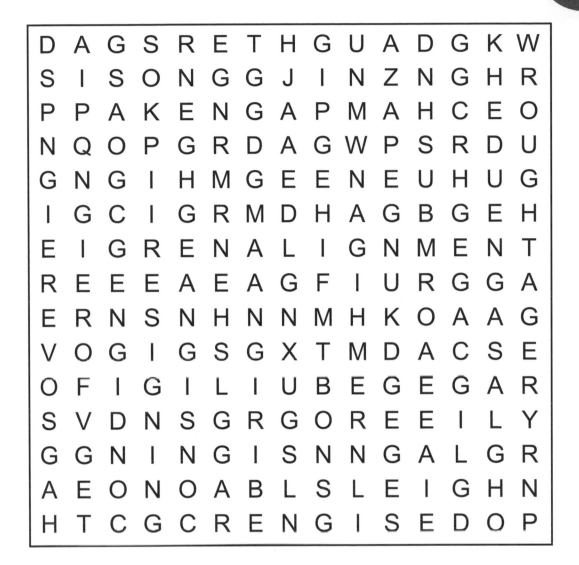

```
D A G S R E T H G U A D G K W
S I S O N G G J I N Z N G H R
P P A K E N G A P M A H C E O
N Q O P G R D A G W P S R D U
G N G I H M G E E N E U H U G
I G C I G R M D H A G B G E H
E I G R E N A L I G N M E N T
R E E E A E A G F I U R G G A
E R N S H H N M H K O A A G
V O G I G S G X T M D A C S E
O F I G I L I U B E G E G A R
S V D N S G R G O R E E I L Y
G G N I N G I S N N G A L G R
A E O N O A B L S L E I G H
H T C G C R E N G I S E D O P
```

ALIGNMENT

CHAMPAGNE

CONDIGN

CONSIGN

COUGHED

DAUGHTERS

DEIGN

DESIGNER

DIAPHRAGM

ENOUGH

ENSIGN

FOREIGN

GNASH

GNAWED

GNOSIS

IMPUGN

LASAGNE

PHLEGM

POIGNANT

RESIGNING

SIGNING

SLEIGH

SOVEREIGN

WROUGHT

SNAKES

```
R E C A R L V A D R Y H Y E X
K Y W U K C A J R E V I R E D
H F E U I S R T B A C T K E U
B Y I S T R B O L A R A H T G
H L O E M U O J N I N A U D I
M C A A R M C E N S T R Y J T
Z A M C S C B K G T U N A U E
P B M L K R E N E S A R A C S
A B A U A T I S L E A I N C P
M N J K S H I O N R L V P Y J
G V E N S H R G A A M B T A O
E D A I Q A I C E Z K H A K N
M K F O A U A C H R O E V C S
E P R I B B O N S N A K E N K
T I A R K I N G B R O W N A E
```

BLACK TIGER	JARARACA	RACER
BOOMSLANG	KEELBACK	RIBBON SNAKE
CANEBRAKE	KING BROWN	RIVER JACK
CANTIL	KRAIT	TAIPAN
COBRA	LORA	TRINKET SNAKE
DUGITE	MAMBA	URUTU
FIERCE SNAKE	MAMUSHI	WUTU
FISHING SNAKE	PYTHON	YARARA

MONSTERS

```
M L T L T G I S T O F A O Y A
A U P H O T F T F A F N E R N
B G G R E A F A S N S A P P N
E Z L R R B J O R N I M N A A
A A F C E T L O H Y D R A N L
B N A H I T E O A B J E C U A
L M D U T Z T T B R H Y H K G
H S K P E L D I R U E O Z S U
A O G A Y Y O E R A L R E H G
D R A C U L A C G T P T H O B
N D H A E K C G H O V S R G O
E D M B R V E H Y N T E E G L
F O V R L D B T A I E D R O E
V I A A O Q U R J M U S M T H
P A K R A K E N U D P B S H S
```

AGGEDOR	FENDAHL	NACHZEHRER
BALROG	GRETTIR	NAZGUL
CHAMP	GUGALANNA	SHELOB
CHUPACABRA	HYDRA	SHOGGOTH
DESTROYER	KRAKEN	SMAUG
DRACULA	LOCH NESS	TETRAPS
FAFNER	MACRA	THE BLOB
FASOLT	MINOTAUR	YETI

RIVERS OF CANADA

```
A S T Y Y Y L A W E R A N C A
C N T O K E C N E R W A L T S
S L A V E O I L Z Y R V Z V U
I E R U K L M N A Z A K P J S
I N A N S D K S I N I W E R V
T C E E F R J Y G I G R A N D
H J T E F A K U B K B W C A I
E B A G D I L I H U M B E R E
L U P U A L A H S E Y A H H N
O R M A B N I P I G O N J O J
N N O S I K H O N D E E S B F
N T O S T M W N A M D L O V U
O P S I I X G J P C E P G L S
I I E F B E R A S N A P L A Y
M O T O I P I N S R A P S E E
```

ABITIBI	LIARD	SAUGEEN
BURNT	MISSINAIBI	SLAVE
EAGLE	MOOSE	SMOKY
GRAND	NELSON	SPANISH
GULL	NIPIGON	ST LAWRENCE
HAYES	OLDMAN	TESLIN
HUMBER	PARSNIP	THELON
KAZAN	PEACE	WINISK

THE AUTUMNAL SEASON

S	O	R	F	T	E	D	P	C	J	S	B	E	F	I
M	U	S	K	Y	M	C	D	O	N	E	O	S	A	S
O	V	X	W	I	N	D	Y	A	K	O	N	E	T	E
O	C	E	S	P	H	I	E	T	E	P	F	V	W	I
R	M	R	G	D	A	B	A	S	T	Y	I	A	O	R
H	I	X	I	E	U	D	A	R	P	E	R	E	S	R
S	C	A	H	S	T	O	R	M	Y	E	E	L	N	E
U	H	U	O	R	P	A	L	Y	Y	R	O	G	R	B
M	A	S	R	I	T	B	B	C	I	O	K	E	O	O
I	E	H	T	H	T	Y	D	L	T	N	P	U	C	T
G	L	Y	M	A	M	L	G	S	E	S	G	M	A	C
N	M	Z	P	O	H	U	D	Y	T	S	I	M	A	O
U	A	R	O	L	G	A	W	S	A	I	L	H	A	D
F	S	L	R	F	O	X	S	P	O	K	N	M	U	L
Z	G	D	Z	T	M	E	S	R	E	T	A	E	W	S

ACORNS

BEANS

BERRIES

BONFIRE

CLOUDS

COATS

CRISP

DAHLIAS

DAMP

DRYING

FUNGI

GLOOMY

HATS

LEAVES

MICHAELMAS

MISTY

MUSHROOMS

OCTOBER

RAINY

STORMY

SWEATERS

TOADSTOOLS

VEGETABLES

WINDY

CAPITAL CITIES OF AFRICA

```
K T U K A A L A P M A K H F I
E R A E D K M S H E R A R A H
O I P R I O S M D G R E N A H
H P F G D E A A J B E S H T M
D O A O P L C R W T A E V R A
N L D E A B S A O C I M U V P
I I U B X R I W M E M D A T U
W E O S E Y N I A M E Y E K T
R A U I A C A L B A S E V D O
S A G O R K U O S S U O M A Y
C L K K N J A C U B A N G U I
A N S A N L I L O N G W E B S
I Y H A D N U H S I D A G O M
R A B A D N A U L Z A E N F E
O R S A B A B A S I D D A S K
```

ADDIS ABABA	DODOMA	MALABO
ALGIERS	FREETOWN	MAPUTO
ASMARA	HARARE	MOGADISHU
BAMAKO	KAMPALA	NIAMEY
BANGUI	KIGALI	TRIPOLI
BANJUL	LILONGWE	WINDHOEK
CAIRO	LUANDA	YAMOUSSOUKRO
DAKAR	LUSAKA	YAOUNDE

WEIGHTS AND MEASURES

```
W B C L S N T S E H A I N O M
E K U R A N N O L L A G P H R
Y Y B S I K I L O G R A M E E
Y O Q A H S L N F O U J Y C H
S T H G I E W Y N N E P M T T
E C N K D O L F F W T I M A S
H N C F E D V O L T N O L R C
L E O Z N U N D A A H J H E R
P E A T P H E W M T J O D U U
S A F D S C O C A N G U N G P
F I R K I N A F I S T N U A L
H A E B M B P A H Y U C O E E
M K E E L X R E S A X E P L R
X L E E V G A V M R P P L L F
M I N I M D M P F D A V I T Y
```

BUSHEL	GRAIN	PENNYWEIGHT
CABLE	HECTARE	POUND
CHAIN	HOGSHEAD	SCRUPLE
DECIBEL	KILOGRAM	STONE
DRAM	LEAGUE	THERM
FATHOM	MINIM	VOLT
FIRKIN	OUNCE	WATT
GALLON	PECK	YARD

SOUNDS

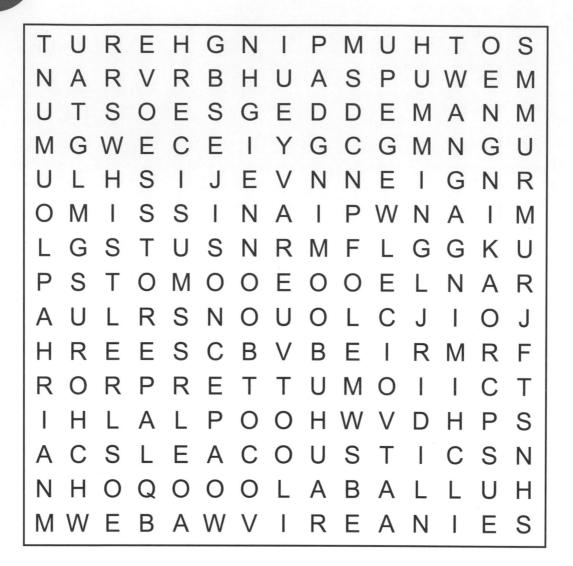

```
T U R E H G N I P M U H T O S
N A R V R B H U A S P U W E M
U T S O E S G E D D E M A N M
M G W E C E I Y G C G M N G U
U L H S I J E V N N E I G N R
O M I S S I N A I P W N A I M
L G S T U S N R M F L G G K U
P S T O M O O E O O E L N A R
A U L R S N O U O L C J I O J
H R E E S C B V B E I R M R F
R O R P R E T T U M O I I C T
I H L A L P O O H W V D H P S
A C S L E A C O U S T I C S N
N H O Q O O O L A B A L L U H
M W E B A W V I R E A N I E S
```

ACOUSTICS	HOLLOW	RESONANCE
BELLOW	HULLABALOO	SNORING
BOOMING	HUMMING	THUMPING
CHIMING	MURMUR	TRILL
CHORUS	MUSIC	TWANG
CRASH	MUTTER	VOICE
CROAKING	NEIGH	WHISTLE
GROWL	PIANISSIMO	WHOOP

WORDS ENDING "Z"

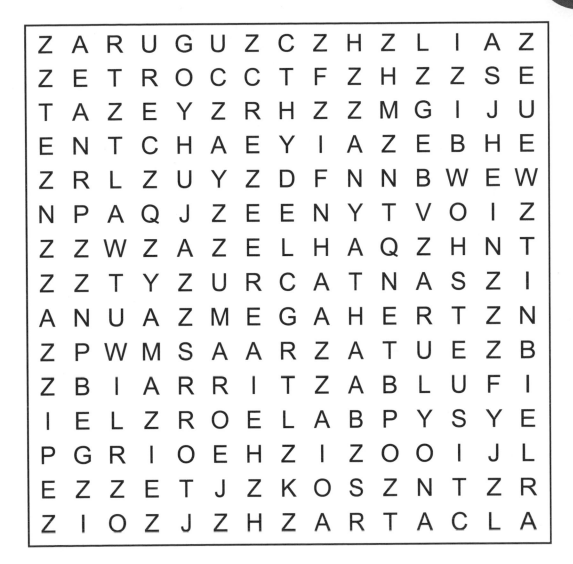

```
Z A R U G U Z C Z H Z L I A Z
Z E T R O C C T F Z H Z Z S E
T A Z E Y Z R H Z Z M G I J U
E N T C H A E Y I A Z E B H E
Z R L Z U Y Z D F N N B W E W
N P A Q J Z E E N Y T V O I Z
Z Z W Z A Z E L H A Q Z H N T
Z Z T Y Z U R C A T N A S Z I
A N U A Z M E G A H E R T Z N
Z P W M S A A R Z A T U E Z B
Z B I A R R I T Z A B L U F I
I E L Z R O E L A B P Y S Y E
P G R I O E H Z I Z O O I J L
E Z Z E T J Z K O S Z N T Z R
Z I O Z J Z H Z A R T A C L A
```

ALCATRAZ	HORMUZ	RAZZMATAZZ
BIARRITZ	JAZZ	SANTA CRUZ
BLITZ	JEREZ	SHOWBIZ
CHINTZ	KIBBUTZ	SOYUZ
CORTEZ	LEIBNITZ	TOPAZ
ERSATZ	MEGAHERTZ	WALTZ
FERNANDEZ	PIZZAZZ	WAREZ
HEINZ	QUARTZ	WHIZZ

AIRPORTS OF THE WORLD

```
Z N P Z Z I K R A W E N S E E
N H A G U I G N A H C D Q Y L
R A E R R S E L L U D E G A L
G N K K I N C H S U G B R R U
N N O N C T I I B T B H N L A
I I K A H B A A A B Z Y O A G
J J G B A E I N S M Y H E N E
I P N R I N E B K N P D H D D
E S A U D G H T I I A I C A S
B J B B R U O S H M P K N J E
N N J E A R U C G A A Q I O L
O A B T U I S N B I N I Y Q R
L L G S G O T E U E M E M G A
C B J O A N O G O A Y P D X H
H P U R L M N V I H C I O A C
```

ARLANDA	CIAMPINO	KANSAI
BANGKOK	DUBAI	LA GUARDIA
BEIJING	DULLES	LOGAN
BEN GURION	GIMPO	MIAMI
BERGEN	HANEDA	NARITA
BURBANK	HOUSTON	NEWARK
CHANGI	INCHEON	SCHIPHOL
CHARLES DE GAULLE	JINNAH	ZURICH

FLOWER ARRANGING

```
G S C U R F L O W E I R A J K
N W U V Q K M S S L N L R C N
I Y P P D R A S O O E B T O O
R R C O P A S Y M V I S B N I
I K U Y T O V F A J I L A T T
W A T E R S R R X R U T S A A
E R E E S L G T O B P C K I N
J G S G W T J L E F U S E N R
N A A O E N F M D T E N T E A
V S B I G R S Z T O Z R C R C
J Q T L L E B I Y E A W N H G
Y A G E S O N E N E Y L M S X
O Y V O M G F U R M U S A W E
A F R O S S V W H A P N O Z Y
S E L B R A M F Y H D C J P C
```

BASKET	FOLIAGE	SAND
BOWL	GERBERA	SOIL
BUNCH	GRAVEL	SPRAY
CARNATION	MARBLES	STEMS
CONTAINER	NOSEGAY	SUPPORT
CUTTING	POSY	VASE
FERNS	POTS	WATER
FLORIST	ROSES	WIRING

GHOSTS

```
V G N I T N U A H D S M A L L
O T S I E G R E T L O P Y U C
T R R E V E N A N T I W G O Z
E X O R C I S M N Q R H S S O
K X I D B D S A U A O P U B M
N O B N T A H I I S H S P T B
O F O A C P N T T A U P E I I
I S G P H O H S N A D E R R E
T S E E S S R T H H N C N I N
I H Y K S L A P S E P T A P D
R A M G Z S Q R O F E R T S X
A D A H M J E G T R F A U W X
P O N O Y X Y N M Y E L R Z F
P W F U A L J X C A G A A S T
A B A L E C N E S E R P L T J
```

APPARITION	HAUNTING	SOUL
BANSHEE	INCORPOREAL	SPECTRAL
BOGEYMAN	PHANTASM	SPIRIT
ESSENCE	PHANTOM	SPOOK
EXORCISM	POLTERGEIST	SUPERNATURAL
GHOST	PRESENCE	VISITANT
GHOUL	REVENANT	WRAITH
GYTRASH	SHADOW	ZOMBIE

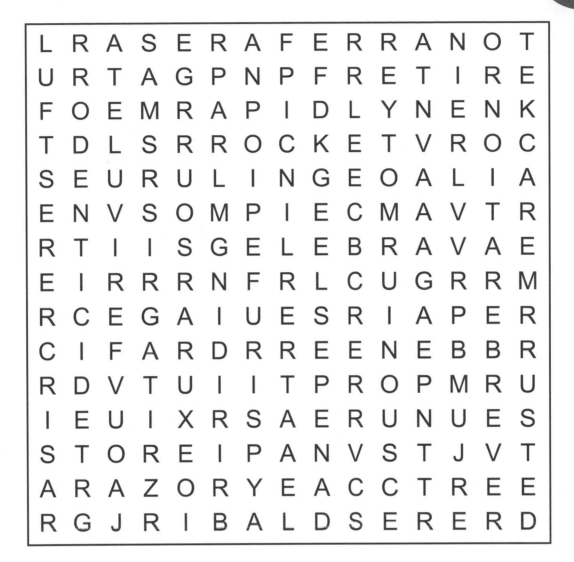

```
L R A S E R A F E R R A N O T
U R T A G P N P F R E T I R E
F O E M R A P I D L Y N E N K
T D L S R R O C K E T V R O C
S E U R U L I N G E O A L I A
E N V S O M P I E C M A V T R
R T I I S G E L E B R A V A E
E I R R N F R L C U G R R M
R C E G A I U E S R I A P E R
C I F A R D R R E E N E B B R
R D V T U I I T P R O P M R U
I E U I X R S A E R U N U E S
S T O R E I P A N V S T J V T
A R A Z O R Y E A C C T R E E
R G J R I B A L D S E R E R D
```

RACKET	RESTFUL	RIVIERA
RADIANCE	RESUME	RIVULET
RAMBLER	RETIRE	ROCKET
RAMEKIN	REVERBERATION	RODENTICIDE
RAPIDLY	RIBALD	ROISTER
RAZOR	RIDING	RUINOUS
RECOVER	RIFLE	RULING
REPAIRS	RIVET	RUSTED

EXAMINATION

```
N O I T A R A P E R P C Z C F
I Y E C N A R T N E J F I O G
U A D G O U O K U E D D P L K
U N K N O W L E D G E A V L S
L A C I T C A R P A P E R E N
R L C D U R Q K Y A G U V G O
A Y H N W J S Z E H S X B E S
E S A A M E Q Z V W T S G Z S
Y I I T D K A A R I Z F O S E
F S R S T F W J U T A M S T L
O C I R R N O I S I V E R U V
D H F E O Y W M L S R K E D M
N O E D P V G N I T I R W Y F
E O G N E Y T I S R E V I N U
R L D U R O T A L I G I V N I
```

ANALYSIS	INVIGILATOR	REVISION
CHAIR	KNOWLEDGE	SCHOOL
COLLEGE	LESSONS	STRESS
DESK	PAPER	STUDY
END OF YEAR	PASS	SURVEY
ENTRANCE	PRACTICAL	UNDER-STANDING
FAIL	PREPARATION	UNIVERSITY
GRADE	REPORT	WRITING

SPORTS VENUES

```
E G A C N C P M H I R F W D Z
M I S R E Z U F B A K I W W A
J Q B P A M Y X U N L E G G C
G A R D E N O T I M B L R E O
G S I L U E G R U E O D O C U
H L N T V Y D E D P A V U B R
K C G I L J S W O O N P N S S
C C T D E I P Y A Y P M D P E
M L B I L A D E B Y U P T F J
E R A O P K E L B I V W I L V
A N C U H R C L D P O O L H F
L R A W T U K A I R D C W I F
Q O E K K P T B R O X P O V R
G Y M N A S I U M T G X B D B
M Q H C A E B E S K I J U M P
```

ALLEY	DOME	POOL
ARENA	FIELD	RANGE
BEACH	GARDEN	RING
BOWL	GROUND	RINK
CAGE	GYMNASIUM	SKI JUMP
COLISEUM	HALL	SPEEDWAY
COURSE	HIPPODROME	STADIUM
DECK	PITCH	TRACK

"FLY" WORDS

```
V R L N L Z D D I H C R O M G
U O V L I H Z Y B C H F O K K
D M Z A A H G K Y A F W B D H
F O Z W R B Y I I T O L B X S
D V P T S A P S H C U V O P E
P A P E R Y J E K H K D N O D
B J F P N R H N Y E C S L N R
Y R S B E A E A S R S L U W E
N G I B N I D T L G E O T M Q
I E N D H T K A T F R E V O P
G Y L H G S X W Y A E X L K F
H E P P I E R A P H W F V R O
T F B H Y E Y Y S T M S O H Z
N U W H E E L L O R D N F A B
G D P E W S T F P G T N M I V
```

AROUND	HALF	PAST
AWAY	HIGH	RAIL
BALL	KICK	RODS
BRIDGE	OFF THE HANDLE	SHEET
BY NIGHT	OPEN	SPRAY
CATCHER	ORCHID	SWATTER
FLOOR	OVER	WHEEL
FRONT	PAPER	WHISK

THEATRICAL

T P B T K T E X S Q F R Z N G
E L R N W Z Q S K E R A C O F
E T U O T U C Y U U G H U T V
H F D S M Q I A H O O R S E O
S G O J O P H O R R H T I S I
E N L O W B T T E C A C W D N
U I I I T L E O O G D I E M T
C G N E H L G X E L R E A K E
F G E G B R I M D A C K C N R
S I S A A C A G B Q B A L K V
H R C P Q N P U H L S P O M A
J W H G A F E A R T L F L T L
L E F G A I D X R A S A A A P
R J E I A N L D M T T L C D Y
O R T E S E R P P L A C E S E

CABLE	FADE	PLACES
CALL	FOOTLIGHTS	PLAY
CAST	GRID	PRESET
CHOREO- GRAPHER	HOUSE	PROMPT
	INTERVAL	RIGGING
CLOTH	LAMP	STAGE
CUE SHEET	LINES	MANAGER
CUT-OUT	NOTES	TRAP
DECK		WINGS

BOARD GAMES

```
Z H V O M H E S N E I P A S C
D I P L O M A C Y G G D H H H
J L I R A B A Q H N Z O U O E
V R E G T S A F W D U E U T S
D A E T G J B T L T Y S O T S
T H S N O E L R U M M I K U B
T I U F I H O H W S S E U G E
A Q X X N W K L O M K K A E N
N L C I L J U Y L C Y G Z U C
Y N A L D I S G A E Q T G U A
B R A C O H A T E L H O H G M
K M R U N R T R Y A H T D J E
S G S O Q A U I Y S I H O G L
A B S L S K M S Y A D Y A P U
Q U A N T U M K T N H M G F P
```

ATTACK!	MANCALA	SHOGUN
BLOKUS	MYTH	SHOUT
CAMEL UP	OTHELLO	SMALL WORLD
CHESS	PAY DAY	SORRY!
DIPLOMACY	QUANTUM	TABOO
DIXIT	RISK	THE GAME
GUESS WHO?	RUMMIKUB	TSURO
HOTEL	SAPIENS	YAHTZEE

```
P E A N U T S Q S V Q H P S T
W G G O D T Z K K R E W R T V
E M A E R C M Q C C E A E Z Q
V N N C J E U O O A G G Z O H
S P I R I T S L A I N S R X R
W B A W H G A X C N P S S U G
E S L I A N G N I T I B K N B
A X Z O G S N G N I K N I R D
R V R S G N I D D U P L G H D
I A E Q F G V Y Y B B B A S A
N Y G S Z J I D Y M R Z E I D
G R A U L I R N A K C A K E S
I J L Q S C D G G C H I P S R
G N I B B U L C U S T A R D J
T E E B O R R O W I N G J J K
```

BEER	CLUBBING	MOANING
BITING NAILS	COLA	PEANUTS
BLOGGING	CREAM	PUDDINGS
BORROWING	CUSTARD	SNACKS
BURGERS	DRINKING	SPIRITS
CAKES	DRIVING	SUGAR
CHIPS	GAMBLING	SWEARING
CIGARS	LAGER	WINE

BUILDING

```
R S V W E A I D Y C I L L T Z
T D O E N A R R O N L I P L S
C O T O P N T C I A M P Z H C
D D W S A N S A H Z V U U V Z
V S E V A M C I K I Y T L W X
E W U P S R R P T Y T D U O A
K O M U E M A D R E T E O J C
C D Y S L T X Q R N U X C M Q
A N I H I U Y I O M P I X T E
V I R O T U N D A I X I J G T
E W G V V G H L D H S J E F Y
C G F X B O C P S C U V O A H
X O D N M O O R Y T I L I T U
P R V E V C O W L Y A R D V H
G J L E L P V C C I T T A Y T
```

ALCOVE
APSE
ARCHITECT
ATTIC
CHIMNEY
COLUMN
COWL
DOME

HALL
HOME
LEDGE
LOFT
PANTRY
PATIO
PUTTY
ROADS

ROTUNDA
SHUTTERING
SITE
TILES
UTILITY ROOM
WINDOWS
WOOD
YARD

MICHAELS

R L N I X R E H C A M U H C S
N G K X C L X M V N E A V V G
O F C F G A M B O N L P Z W Y
S A I L U N N E I L S R V G G
Y S V A E D N A L N I K O O L
T S C T O O C Y I G R A V E S
O B N L D N J C M O V B W C T
D E E E Z F H N O S I N E D U
D N R Y H O A N S K N I P S H
Z D N T L G E C R C H A N G L
A E X S F Y U S J A H U M R B
G R O J V A B N M W P B Z O A
U N I Z L V Z M J B Z I K P R
A R E C M Y E R S Z D F M A G
E M L Z X R W M C C A R Y S E

CAINE	GRAVES	NICHOLSON
CERA	HALL	ROONEY
CHANG	HAMMER	SCHUMACHER
DENISON	IRVIN	SPINKS
DOLENZ	LANDON	STUHLBARG
FASSBENDER	LOOKINLAND	TODD
FLATLEY	MCCARY	TYSON
GAMBON	MYERS	VICK

AFFIRM

```
W O V A Q X L B E R U S N E E
Z A H A A E R B E E U R X B G
M B C S S E K P G V S D O T D
R I U S C R A A Z A N T G F E
E W O E E G A A M E Z E A S L
T T V R R A X E F E R T B T P
N V A T T G B E W A F A K R E
A G P D A A D K L S C R H E V
R C R A I D M C W K T O C N L
R Y O A N L E R U J D B G G T
A C F U T D A P I L Q O N T V
W H E I O I Q V O F P R L H L
J E S T R X F H M S N R M E D
I C S I G E P Y Z J E O E N Z
N K A U F U V W Q B X C C T Y
```

AGREE	CORROBORATE	STATE
ASCERTAIN	DECLARE	STRENGTHEN
ASSERT	DEFEND	SWEAR
AVER	DEPOSE	UPHOLD
AVOW	ENSURE	VALIDATE
BACK UP	PLEDGE	VERIFY
CHECK	PROFESS	VOUCH
CONFIRM	RATIFY	WARRANT

```
N E H P E T S Q R O N A E L E
H S E M A J X C Y G G N B Y J
O O L R B C U E N A J R E A R
J N T H T T G A I R O T C I V
A G K A H Y G R S T H B S R E
D B E R Z R A S E E X A H A D
L N E O A A L R L Q B D Q G W
I D X L R M A B D E M R A N A
T P H D P G E T L D M A R E Y
A Y V A R R E L P G I W E R V
M K E A T A A A M A J D N E T
E Q M D R A H C I R Y E E B I
E D M U N D O J I R H G N K D
B Y W Z G Y D E R F L A N L R
N A U Y N G Q B E T U N A C A
```

ALFRED	EDWY	JANE
ANNE	ELEANOR	JOHN
BERENGARIA	ETHELBERT	MARGARET
CANUTE	GEORGE	MARY
CUTHRED	HAROLD	MATILDA
EDGAR	HENRY	RICHARD
EDMUND	ISABELLA	STEPHEN
EDWARD	JAMES	VICTORIA

114 ORCHESTRA CONDUCTORS

```
O Q U R U K Z A J O I L N Y D
B E F Y E G D L M N H D H D F
K K A D T L F W I K U U J N Y
E N I V E L G L T O Z S K A S
I I W E F S U N I O B X Z M W
D T Z Y V I P A A V B T I R E
M I M A G V M C Z W A L S O P
O A X B W A S I E K T N A B M
T H C B J D T S L E D R O T E
T R O A W A W Y U N E A U V K
L H Q D R E E I O A O Q N F U
I T L O S H Y Z B E R L I O Z
N P D E D W A R D S V K N W N
I T U M X W Q Y H O G W O O D
Q A K G A J A B P J K H C I C
```

ABBADO	EDWARDS	KRAUSS
ALSOP	FURTWANGLER	LEVINE
BERLIOZ	GIULINI	MOTTL
BOULEZ	HAITINK	MUTI
CONLON	HOGWOOD	ORMANDY
DANON	IVANOV	OZAWA
DAVIS	KATZ	SOLTI
DORATI	KEMPE	TALBOT

PORTS OF THE WORLD

```
T L N E U E A L U B A T H S A
C X O E I D P A S E B W V L D
M N A N E M W P S I U D M U U
A G Q Z D H A T E Q C E Z E R
D R A B A O A F B I L I S B B
R E B E C V N M I E D T D O A
E J A Q A O O N B A S J C U N
T B K N R O B C C U H K K L M
T S G I S B K H W B R K R O F
O E Y T N I C S D X B G O G S
R D E T N G V E N I C E Y N I
H N O A K A S O K A V R W E M
D D Q V X I J T Z I D P E T A
M M L P E G E N O A S G N I I
L O T S I R B Y T N W A S R M
```

AQABA	DOVER	LONDON
ASHTABULA	DURBAN	MIAMI
BELEM	ESBJERG	NEW YORK
BOULOGNE	GDANSK	OSAKA
BRISTOL	GENOA	OSTEND
CADIZ	HAIFA	ROTTERDAM
COBH	HAMBURG	STAVANGER
DIEPPE	KINGSTON	VENICE

NEWSPAPER NAMES

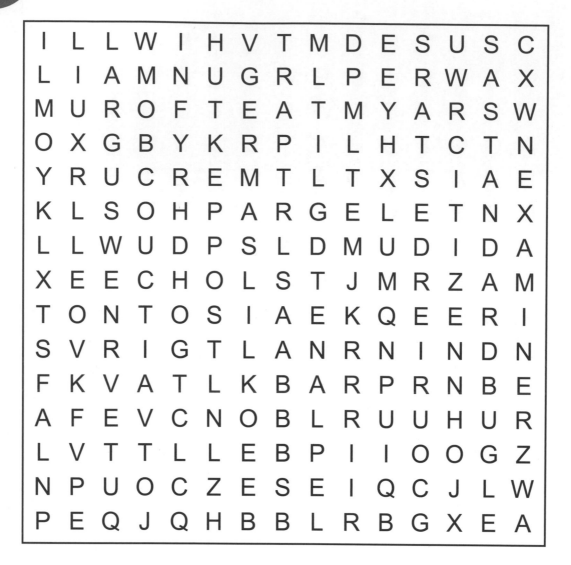

```
I L L W I H V T M D E S U S C
L I A M N U G R L P E R W A X
M U R O F T E A T M Y A R S W
O X G B Y K R P I L H T C T N
Y R U C R E M T L T X S I A E
K L S O H P A R G E L E T N X
L L W U D P S L D M U D I D A
X E E C H O L S T J M R Z A M
T O N T O S I A E K Q E E R I
S V R I G T L A N R N I N D N
F K V A T L K B A R P R N B E
A F E V C N O B L R U U H U R
L V T T L L E B P I I O O G Z
N P U O C Z E S E I Q C J L W
P E Q J Q H B B L R B G X E A
```

ARGUS	GLOBE	PRESS
BUGLE	HERALD	SENTINEL
CITIZEN	JOURNAL	SKETCH
COURIER	MAIL	STANDARD
ECHO	MERCURY	STAR
EXAMINER	ORACLE	TELEGRAPH
EXTRA	PLANET	TIMES
FORUM	POST	WORKER

GIRLS' NAMES

```
H B E L L E I R B A G E A P X
D E D I O T D Y N T U F I E F
I N B Z F L S N D K Y Q N T L
N B A L Y E I A O N E D I U J
Y R M E B E L V M D I R G N I
A Z Y D N Z R S E A M C R I T
O D K Y L I E U I C N Y I A U
L K L I A L L F K E W T V Z L
T P Z M V P N E M F T O H H U
L B O I L G A P U O S Z Q A F
W R R A W W O E A Q A P N U O
I A A J N Y J N S Z C O D T A
H O N E Y N A A L E R A I Q A
X X X Z P E O I I M O I J N D
B B U U N N B D A I D A D M C
```

AILSA	GABRIELLE	OLIVE
ANNIE	HONEY	PEARL
CINDY	INGRID	PETUNIA
DIANE	JACQUELINE	ROMA
DONNA	JOAN	SAMANTHA
DORCAS	KYLIE	VIRGINIA
ELSIE	LIBBY	ZARA
ELVIRA	NORMA	ZOE

LIGHTWEIGHT

```
N I L Y D J Y P S I W R P O B
A L A I T N A T S B U S N I T
V L A Y Y P S M T A Y A U W Y
T S T Z M C F C V W E A K O Z
R M E T A U Q E D A N I S R U
I Y G N O P S S L F M G U T A
F P T S D N N O H R O J O H G
L Y N L B L R O R A U F R L Q
I Y T I P D O L I G D R O E J
N R W G Y F N S K I F O P S C
G E X H M H I H P L R T W S A
J P K T R E M C I E T H N Y S
F A O T H I N M K K T Y S W U
Y P A I R Y S M O L V T P E A
Y D N A S Y T V Z Z E L Y I L
```

AIRY	INSUBSTANTIAL	SHADOWY
CASUAL	LOOSE	SLIGHT
FICKLE	MINOR	SPONGY
FLIMSY	PAPERY	THIN
FRAGILE	PETTY	TRIFLING
FROTHY	POROUS	WEAK
GAUZY	SANDY	WISPY
INADEQUATE	SCANTY	WORTHLESS

STARTING "BACK"

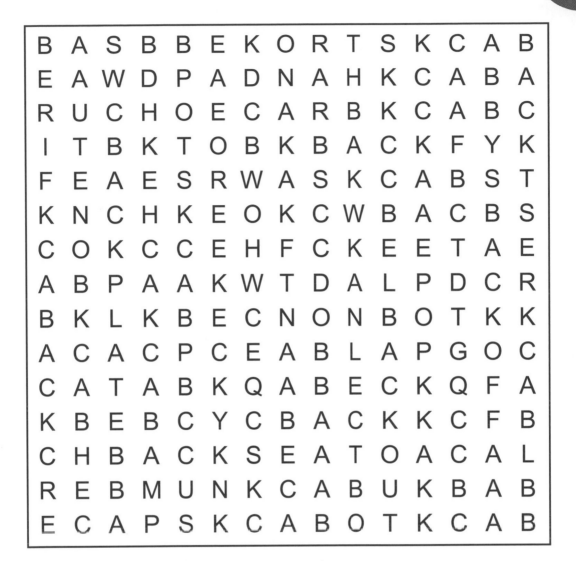

```
B A S B B E K O R T S K C A B
E A W D P A D N A H K C A B A
R U C H O E C A R B K C A B C
I T B K T O B K B A C K F Y K
F E A E S R W A S K C A B S T
K N C H K E O K C W B A C B S
C O K C C E H F C K E E T A E
A B P A A K W T D A L P D C R
B K L K B E C N O N B O T K K
A C A C P C E A B L A P G O C
C A T A B K Q A B E C K Q F A
K B E B C Y C B A C K K C F B
C H B A C K S E A T O A C A L
R E B M U N K C A B U K B A B
E C A P S K C A B O T K C A B
```

BACK AND FORTH

BACK BRACE

BACK NUMBER

BACK OFF

BACK OUT

BACKACHE

BACKBONE

BACKCHAT

BACKCLOTH

BACK-END

BACKFIRE

BACKHAND

BACKLOG

BACKPLATE

BACKREST

BACKSAW

BACKSEAT

BACKSPACE

BACKSTOP

BACKSTROKE

BACKSWEPT

BACK-TO-BACK

BACK-UP

BACKWOODS

PERFUME

```
T L Y N V H F V J E R H O C X
N D D L M I T R C A I U R O I
E L O U A Z O N A B S L C L R
C A O A Z N E L I G I M H O Q
S V W M E S G S E C R V I G L
Y E L B S C C Y P T A A D N L
T N A E N U I H L I S Y N E E
I D D R S W C T A A C H H C B
U E N G B C R S R M N E R Z E
R R A R B O C M O U E G S K U
F A S I R W U D L A S O S E L
F T R S K O A Q F T A U Q T B
C G I O I V S N U C M R B R V
D B K H M Y L E U E L I L A C
S S O M K A O Q S R T J E R U
```

AMBERGRIS	FRAGRANCE	OAKMOSS
AROMA	FRUITY	ORCHID
BLUEBELL	HIBISCUS	ROSES
BOUQUET	HYACINTH	SANDALWOOD
CITRUS	JASMINE	SCENT
COLOGNE	LAVENDER	SPICES
ESSENCE	LILAC	VIOLETS
FLORAL	MUSK	YLANG-YLANG

```
C G W U O X J L Z Q R S H E Q
F O M W M I N E S W E E P E R
E N I R A M B U S A O R N Z V
U D H O W T P N X I M T V I C
C O S C O W W T L F F P I U L
L L R I T R A L K A T M A D L
X A L R X E G G R A P G M N W
R A R A G N K C O L U G G E R
G E X M I W R B X I H R P J S
J C P W Z E P Y A W L R T U G
U F O P V M Z N M M A E M N A
A R K O I R E T H G I L S K L
E N H R C L E C N I Q A A F L
F J H S M A C K U U A H X Q E
Y S S Y R R E H W T P W T Q Y
```

ARK	KETCH	SCOW
CLIPPER	LIGHTER	SHRIMP BOAT
DHOW	LINER	SMACK
GALIOT	LUGGER	SUBMARINE
GALLEY	MINESWEEPER	TUG
GONDOLA	PUNT	WHALER
HOVERCRAFT	ROWING	WHERRY
JUNK	SAMPAN	YAWL

WEIGHTY

```
C Y M O M E N T O U S S G A O
N D K B C D J G F Q Y E N H C
Q Y V L E G R E A T T R I R L
Q K T D U A S R I A F I R R A
S O A H V B G N P X E O E K I
U O R E G P F L I I H U B I T
L S L Y C I O O U N Q S M C N
N T O I D D M N R G S P U R E
L N B L D V W R D C R S L U U
U A V I E I I C R E E U A C Q
O P N G E M A T S V R F U I E
E G R L L J N S A D L O U A S
Z A D T A A I B V L Y N U L N
L Y M Z M V Y S M U L C B S O
T Y V A E H C R I T I C A L C
```

BULKY

CLUMSY

CONSE-
    QUENTIAL

CRITICAL

CRUCIAL

FORCEFUL

GRAVE

GREAT

HEAVY

HEFTY

IMPRESSIVE

LARGE

LOADED

LUMBERING

MIGHTY

MOMENTOUS

PLODDING

PONDEROUS

SERIOUS

SOLEMN

SOLID

TAXING

UNWIELDY

VITAL

PRINTWORKS

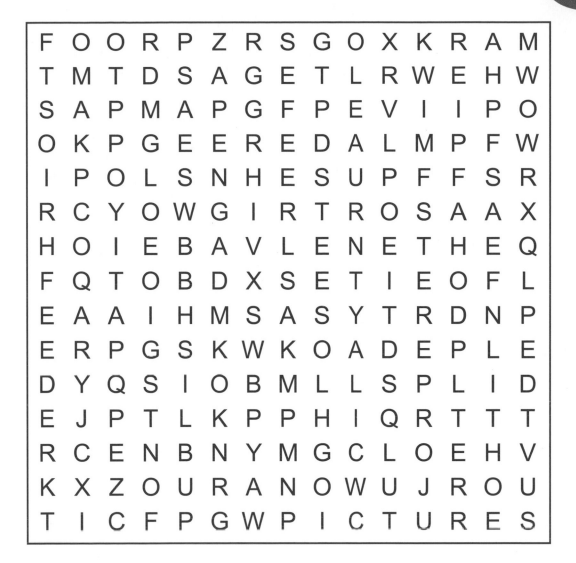

```
F O O R P Z R S G O X K R A M
T M T D S A G E T L R W E H W
S A P M A P G F P E V I I P O
O K P G E E R E D A L M P F W
I P O L S N H E S U P F F S R
R C Y O W G I R T R O S A A X
H O I E B A V L E N E T H E Q
F Q T O B D X S E T I E O F L
E A A I H M S A S Y T R D N P
E R P G S K W K O A D E P L E
D Y Q S I O B M L L S P L I D
E J P T L K P P H I Q R T T T
R C E N B N Y M G C L O E H V
K X Z O U R A N O W U J R O U
T I C F P G W P I C T U R E S
```

BOARD	IMPRESS	PICTURES
BOOKS	LEAFLETS	PLATE
COMPOSITOR	LETTERHEAD	PRINTER
DESIGN	LITHO	PROOF
DUOTONE	MARK	PUBLISH
DYELINE	OFFSET	REPRO
FEEDER	PAGES	SPIRO
FONTS	PAPER	TEXT

ANATOMY

```
B C G A S B V S R D W N E N Q
A O N I V Y K G Y V F L E Q R
G L S F M I C E E F C M L A P
U L T A N Y E L G S O S P B F
W A S D E I N V U D O G H Y R
R R T I K R G M B X O N O V R
U B U X T B C A I J H U Q U V
M O G A X T A N G D N L I P S
E N M O X E O H A B R A I N N
F E W P H H A L X P U I K Y E
A R T C E D R N G F H S F D E
J R A E V U T O O I H P I F L
S R L Y C O E L M I P H U T P
T S E O T I R O N K R E T E S
W D J R V Y Y C A J T M K V A
```

ABDOMEN	HEELS	PALM
ARTERY	LEGS	PANCREAS
BRAIN	LIPS	SHIN
COLLARBONE	LUNGS	SKIN
COLON	MIDRIFF	SPLEEN
EPIGLOTTIS	MUSCLE	TOES
FEMUR	NECK	TRACHEA
GUT	NOSE	ULNA

HORSE BREEDS

```
H H K A U X O I S O R R A I A
O Y M S H Y S I O T M O C A A
N M W H R P H B M N W D K L Y
A W H I O E E E L O C S R T V
T R A R F O T I A Z R I H A H
E R J E J N L C X B S G J I E
F I W I Y E A L A P A P A H A
L P N X T C N A A R D R C N R
O L A U J I D M W E A O O D A
T E A Z G L P Y M A W I R M S
F V J T O A O S S I L F G O S
O E R S V G N J R D S E Y Y E
M N I J W I Y O M X S A R L M
M N T G N A A A Y F B D K E H
O C W S Q S V N U Y K W X I D
```

ALTAI

AUXOIS

COMTOIS

GALICENO

GIARA

HIRZAI

LATVIAN

LOSINO

MESSARA

MISAKI

MORAB

MORGAN

MOYLE

PAMPA

PLEVEN

RIWOCHE

SHETLAND PONY

SHIRE

SORRAIA

SPITI

TERSK

TOLFETANO

WALER

YONAGUNI

CLEVER THINGS

```
T V L A N O I S S E F O R P S
H L U F E C R U O S E R P S C
G D M Y R I T Z A O L V C A H
I W S W Y V Q C G T Z U N P O
R O H F C T A I P H V N G I O
B R A H E D F E A T Y X X E L
U S R Q E T D A R G B C K N E
Z N P M E A L E R T A U D T D
M W I D S J P G R C D N J G Y
A C X T B X N A M L R N A K J
R C U B E I I G S U O I V E D
H T N X W N C Y D Z I N I E Q
E J S O E S W E I F T G F N G
F O N D U N F I N F O R M E D
H K O I X T R A M S Y D A E R
```

ACADEMIC	CUNNING	PROFESSIONAL
ADEPT	DEFT	READY
ADROIT	DEVIOUS	RESOURCEFUL
ALERT	EXPERT	SAPIENT
ASTUTE	GIFTED	SCHOOLED
BRIGHT	INFORMED	SHARP
CANNY	KEEN	SMART
CRAFTY	KNOWING	TRAINED

COUGHS AND SNEEZES

```
N R H I N I T I S J O V C I E
E H R R A T A C T I U N P C R
L Y Q P A G E R T F S E U X U
L U O N S X O Q H W C S O B T
O N O I T C A E R A G R U H X
P R E G H I A H C O E S A T I
R G E E M D S U V D K C L M M
S Q U V A L A S N S K B L E H
K S V C E N L O U I M O E D G
S J H P H F S I N E Z K R I U
L E I A I E Y G H E S S G C O
A Z Y R O C Z A N C M O Y I C
X S U R I V O G H O S F P N H
T S U D A F E L K H D U H E E
P Q L R B S C E D S Y R U P R
```

ALLERGY

ASTHMA

CATARRH

CHILL

COLD

CORYZA

COUGH
 MIXTURE

DUST

HACKING

HAY FEVER

HEADACHE

IPECACUANHA

LOZENGES

MEDICINE

POLLEN

REACTION

RED NOSE

RHINITIS

SMOKE

SYRUP

TISSUES

TROCHE

TUSSIS

VIRUS

BODY LANGUAGE

```
K Q O M E U Y A W N T E K U D
C Y G T F H A O I Y T E P O M
A K G R I M A C E A S C O W L
L O O Y I I P R L K T B F I L
U W C P H N N U J W H N E O E
N C Q O L S C H Q T I W I N K
V E L Z W I U L F K U A C O D
W I S K T E S L R S H R U G P
H G I S P S R E B E Q F T Z Y
U F E T R E M B L E I S P S W
X G L R L P Z I N D S C O K D
N N R E A Q M A G R D P U C U
L X O T F S D E G H A I T Z M
M J A C R M T Y O C Z H F U Y
V E L H C Q C N E S T L E U D
```

BEND	GRIMACE	SHRUG
BLUSH	GRIN	SIGH
COWER	MOPE	SMILE
FIDDLE	NESTLE	STRETCH
FIDGET	PACE	STRUT
FROWN	POINT	TREMBLE
GAZE	POUT	WINK
GESTICULATE	SCOWL	YAWN

```
M E E T A D F O T U O T B O B
M T N G S A W H I L E A G O T
O T R O I R P A L E Y O R E P
J D W E G X O L Q M C U T F R
Y Q G X Y Y E T R I I T N A E
H L U D D E B Z S T A W E N V
E T R O E O S Z P E H O I T I
T P I E N P G T R N C R C I O
E H R W M D A A E O R N N Q U
L A E G R R A R S R A S A U S
O S I N Q E O M T R D M V I L
S B L L E F V F K E A A M T E
B E R X E Y Z O M A D E Y Y L
O E A B U O L D E N D A Y S D
T N E H W K C A B Y A W T R G
```

A WHILE AGO

ANCESTORS

ANCIENT

ANTIQUITY

ARCHAIC

BEFORE

BYGONE

DEPARTED

EARLIER

FORMERLY

HAS-BEEN

OBSOLETE

OLDEN DAYS

ONE-TIME

OUT-OF-DATE

OUTWORN

OVER WITH

PREVIOUS

PRIOR TO

QUONDAM

WAY BACK WHEN

YEARS AGO

YESTERDAY

YORE

EUROPEAN REGIONS

```
E B D A B R U Z Z I N U I E Y
U R L P I B H M B T O E Q D S
A I E R M R F O B I E R K I H
I S D S R H U M C R L D W S G
S T H Y I R N G O O I A A Y I
E A V P G I E P I L L A R E R
L V F O T N W Y I L I P W S O
I A G R O R L X O O Q S X R N
S N A H E A T N A M U R E E D
E G R R S C I V A O C A R M E
E E E S O A A O R U N E D V K
Z R E Q N M N S R F T E Z U L
V H I Z S R D G L V D U G M F
T C K O A F G E A A G T U R N
M K E T L O L S O R M L A N D
```

ABRUZZI	MERSEYSIDE	STAVANGER
ALSACE	MOLISE	TARN
BOURGOGNE	NAMUR	THESSALY
GIRONDE	NERETVA	TIROL
ISERE	NITRA	UMBRIA
LEON	RHONE	VOSGES
LIGURIA	SILESIA	WALLONIA
LOIRE	SORMLAND	ZUG

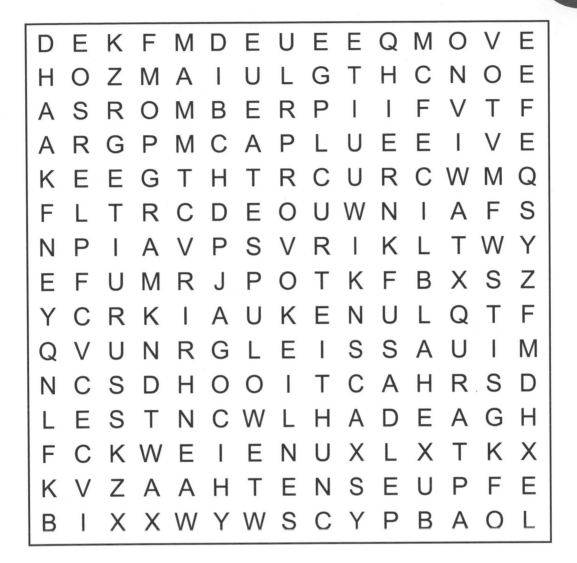

```
D E K F M D E U E E Q M O V E
H O Z M A I U L G T H C N O E
A S R O M B E R P I I F V T F
A R G P M C A P L U E E I V E
K E E G T H T R C U R C W M Q
F L T R C D E O U W N I A F S
N P I A V P S V R I K L T W Y
E F U M R J P O T K F B X S Z
Y C R K I A U K E N U L Q T F
Q V U N R G L E I S S A U I M
N C S D H O O I T C A H R S D
L E S T N C W L H A D E A G H
F C K W E I E N U X L X T K X
K V Z A A H T E N S E U P F E
B I X X W Y W S C Y P B A O L
```

BUSTLE	INCITE	STIR UP
CHARGE	INDUCE	SWAY
ELECTRIFY	INFLAME	TEASE
EXHILARATE	MOVE	TENSE UP
FIRE	OVERWROUGHT	UPSET
FLUSH	PROD	WAKEN
GOAD	PROVOKE	WHET
IMPEL	SHAKE	WORK UP

WARM WORDS

```
E D I S E R I F T L U S C W R
F W Z L A C I P O R T O Y N E
K J Q D K P U D E P P A R W V
T E K N A L B S U N N Y V D O
P A R A S E I N U Y X G L F C
A G L O W I N G R M E O I A R
S D F H S Z O T N N M V H Y E
S D E Z D E L F I R R E D B T
I F V H Y U N A Z O A N R H R
O Y E O S M L E G T W Q S Y O
N D R L X U L M W A E L N R F
B T I L A D L A J I K B U U M
T C S P B O V F B D U I G S O
W M H X E E C C D A L P O B C
D Z A O Y T I C I R T C E L E
```

BALMY	FLUSHED	RADIATOR
BLANKET	GENIAL	SNUG
COAL	GLOWING	SULTRY
COMFORTER	HEAT WAVE	SUMMERY
COVER	KEROSENE	SUNNY
ELECTRICITY	LUKEWARM	TEPID
FEVERISH	OVEN	TROPICAL
FIRESIDE	PASSION	WRAPPED UP

THINGS THAT CAN BE DRIVEN

```
D B E W O N S J Z L P F C E K
A T L K Z I C L O U D S X O N
S F T M Q Z S M O T N C P X F
V T T R G K N Z E N N W A E V
X Y A C Y I S E L E N I R N K
C I C K B H L L N I R E O C E
N Q U U E S L I A N T I U P S
E S S E E A G G H N T R S A L
F G P G B N R U I I T H U E H
W C N F E A L R B R B B S E D
E B L A B Q P M A E E D Q I L
D O D E H D A C A F W F F R V
G H C A O C T U N O E K O L V
E F W N R O M Q L R D N E R T
T W S P R A C G N I C A R C M
```

AMBITION

BARGAIN

CATTLE

CHANGE

CLOUDS

COACH

DESIRE

ENGINE

GOLF BALL

NAILS

OMNIBUS

OXEN

POINT

PRINTER

RACING CAR

RAIN

REFORM

SHEEP

SLEET

SNOW

STAKE

TRACTOR

TRUCK

WEDGE

Solutions

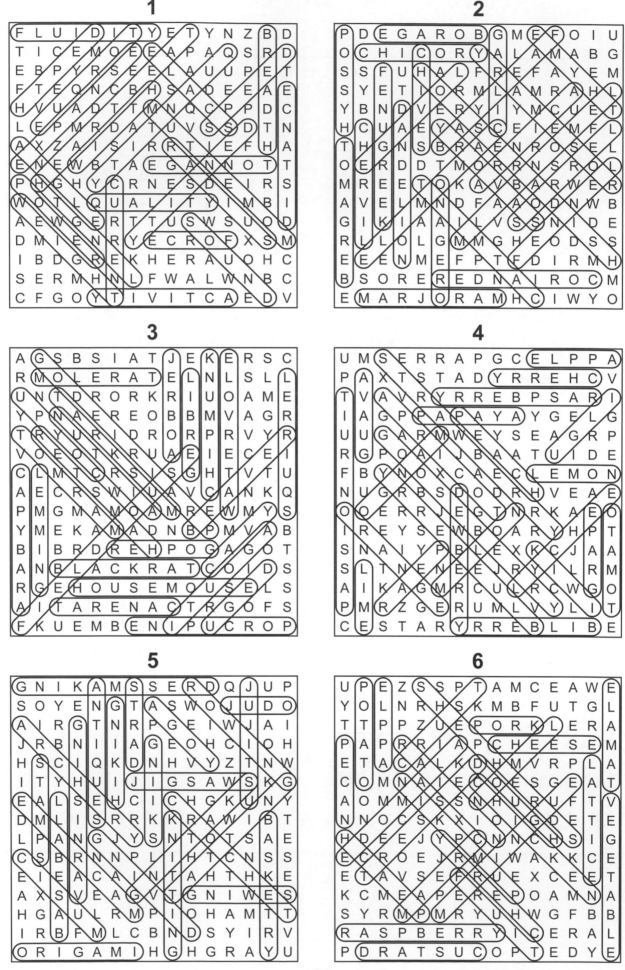

Solutions

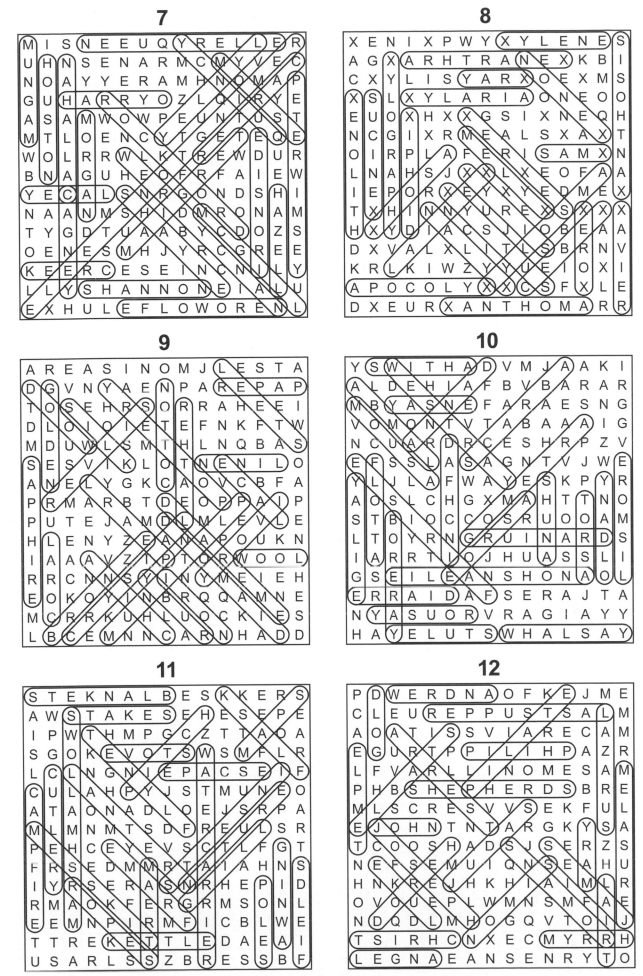

Solutions

13

```
D E L W A Y E H S I B B O Y Y
Y A Y L I S A R D G G Y S E A
E T A Y S M E Y E G Y O G I C
Y A S H M A K N T E Y U S Y K
K T V A L S O G U Y N E I L I
Y P R Y E K P Y Y E R V E F N
L E A U U Y I E R P Y D E B G
U K L Y G P Y I Y A O L Y Y Y
S Y Y L Z O H O C Y F N A U I
Y A G Y O S Y H N F Y W K N P
U B A H K W T Q A D C U E O P
C R A R C S I Y F E E M C F E
G Y O N M R D N Z D E R G C E
E U Y E A R L I N G Y B T E N A
Y B N P E R I Y I K N R R A Y
```

14

```
H T O O M S D O E I M B P S D
T G N I L E E F L C E I C B O
A T S I L K E N B R L E M P P
Y D E T C E R D R E O T A E D
M U R A W O W E W D E E N N F
D U L C E T L P M N G K A R U
D I T T C U S H Y P J I J L
T O L B E P P N J F E S L N F
D N P U U N P A R O A R P L D
E V E L T T D H Y P R C E H U
R F P I F E T E P E C E I D U
S Y A O N S D E R Y C H M L I
L P O N F E B S R Y V A S G E
J F S U O U L F I L L E M P T
```

15

```
S E H C A E P M F D V R Q Z B
R C P I C C A L I L L I S W H
H E R R I N G S I A G V R R S
S I W Z G T X K G I N G E R S
O N I O N S Y X E H M L B Q A
S L I Z L R P E C T I X M C U
T E B K I F G I N S C L U J E
U N K O R A I T H T D H C C R
N G W O B E W L O C U R U A K
L Y T B H G H O U M M H C P R
A Y A U U C A G L A A I C E A
W C O L J V I R F I C T K R U
O D I T R U C T L O V E O S T
S T O R R A C D R I W E Z E Z
G S H A L L O T S A C F S L S
```

16

```
B A R R I P L P E T E R P A N
L L S G E E I B Y A R S T A G
M E U K T H Y E B U D F B O Y
O O Z E C M T A D W S K E R Y
W E R N R O B O A P I O A M A
S G B A U I L R M N I M R P M
N E M U A H E A C D R N N E D
O E U A H E A C D R N N E D
W H H D S P O R A L O A F R
W A T D S L B M W C O R R I
H N M I E W I T C H D G U G U
I S O N B R B H P U M P K I N
T E T T P R I N C E S S M E C
E L D R F O S T E R O S E A O
D A B N I S H O E M A K E R B
```

17

```
N I K H R E F L E C T G A W I
I T E F M A S X N O S A E R D
A A I C T Q P U W O S O H E E
R E V I S E H Q M V K E L G T
B T E C C D R A G E R C D V R
E A T T W E I V E R Y U E E E
H L A P P R A I S E J X F R L
T P M I K U R R O D F N R E
K M I C X T U E H I L E E T A
C E T A C C S I D S D A N A I
A R N S L E E P O N N V R I E N
T S N E P L J M B O O I M D V
T O S G X N Q P R C Z W A I T
X C Y K O O R B I W O W X K N
G Z N M Q C G K Y Q U P E D T
```

18

```
R Y T R E P O R P I E S U O H
M O O R G N I V I L E L J S K
P A P E R W O R K I S Z G Z D
R G J B T N O I T E L P M O C
L E R E F F O I L I S T I N G
E N D J I N L M Y D O N R H A
A C I U T I Y H E E S Y N T R
S Y O S C F I H R P E C O M D
E G I A A E C B E V P M I O E
H N F A R A D C R S S V T R R
O I S J T P T U E R H E A T S
L V I E N I S A O S K N C G A
D O D J O F R O X R F D G T
Y M K N C C L G A S T O L G R
F M V H H F N M E C I R P E L
```

140

Solutions

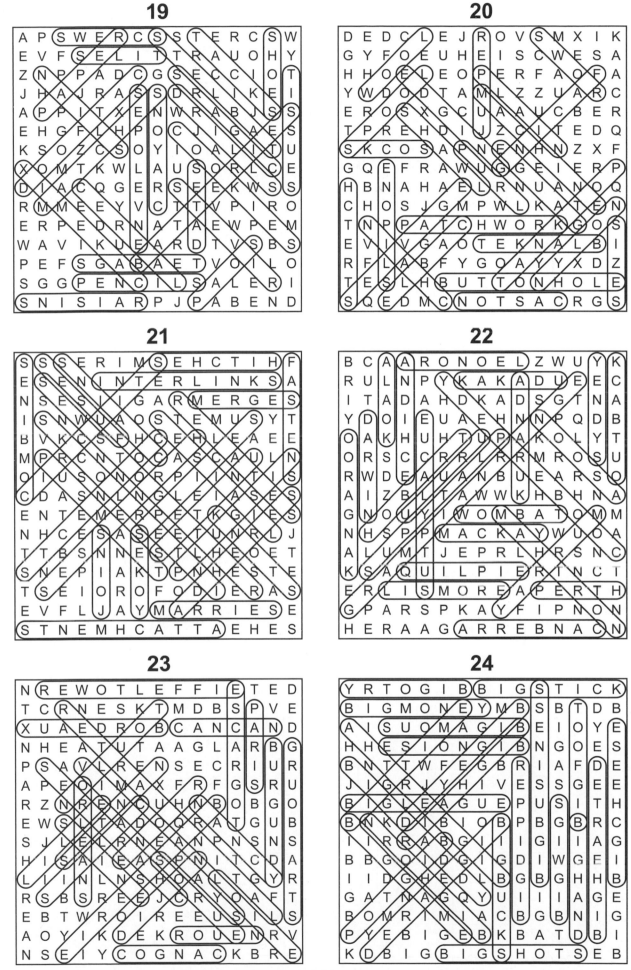

141

Solutions

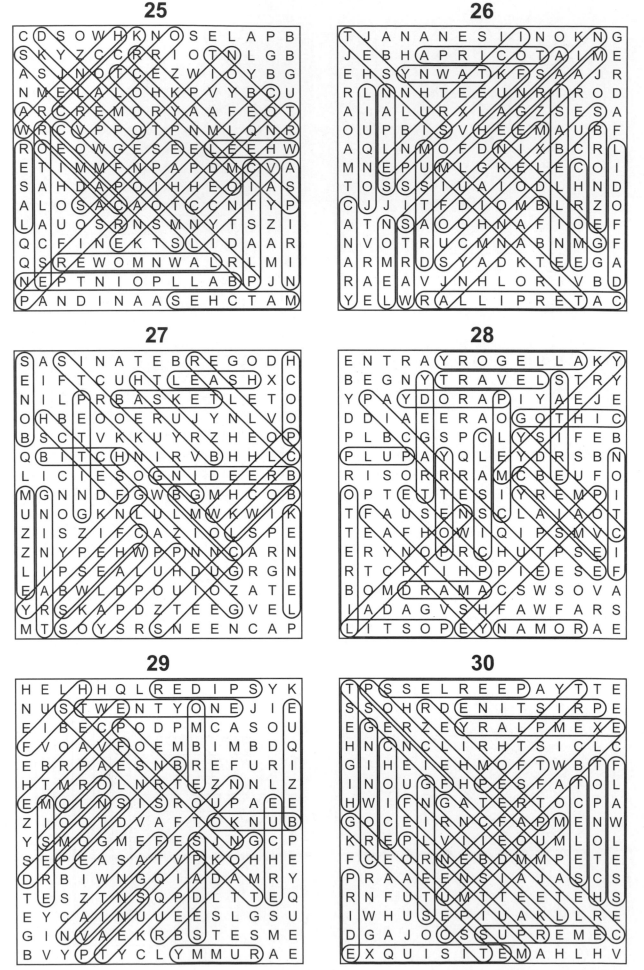

25

26

27

28

29

30

Solutions

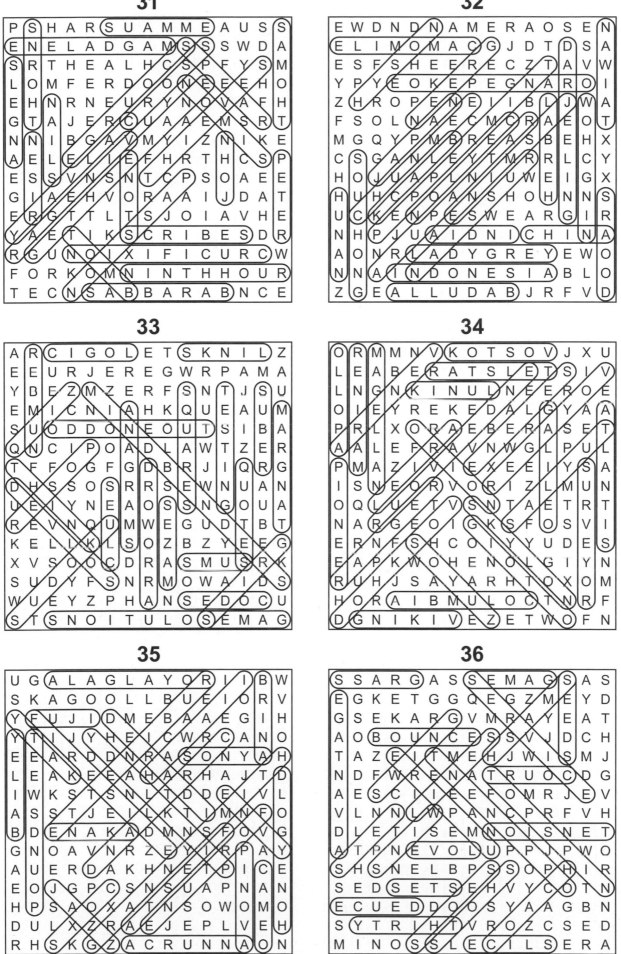

31

32

33

34

35

36

Solutions

37

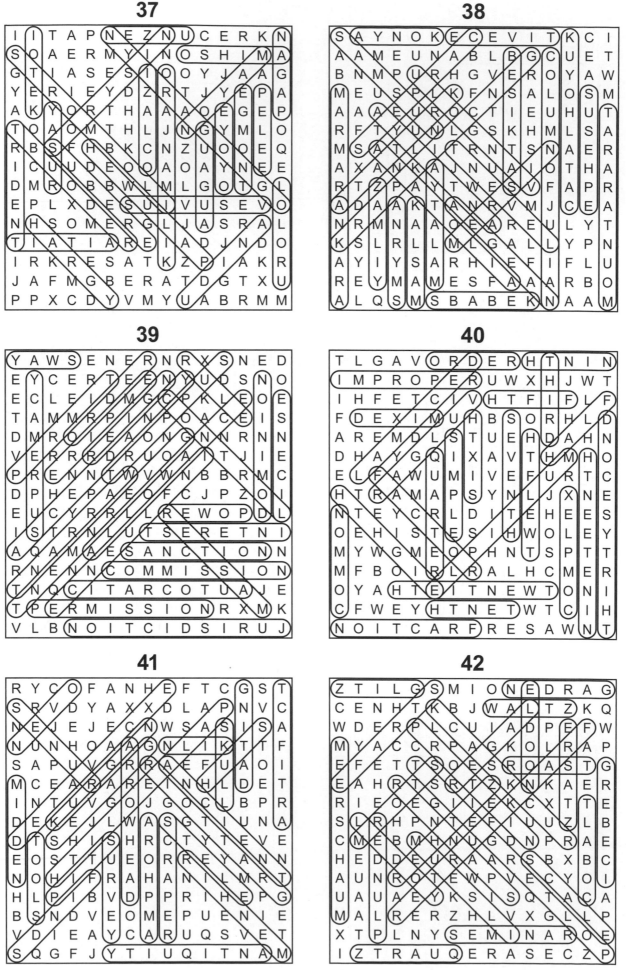

38

39

40

41

42

Solutions

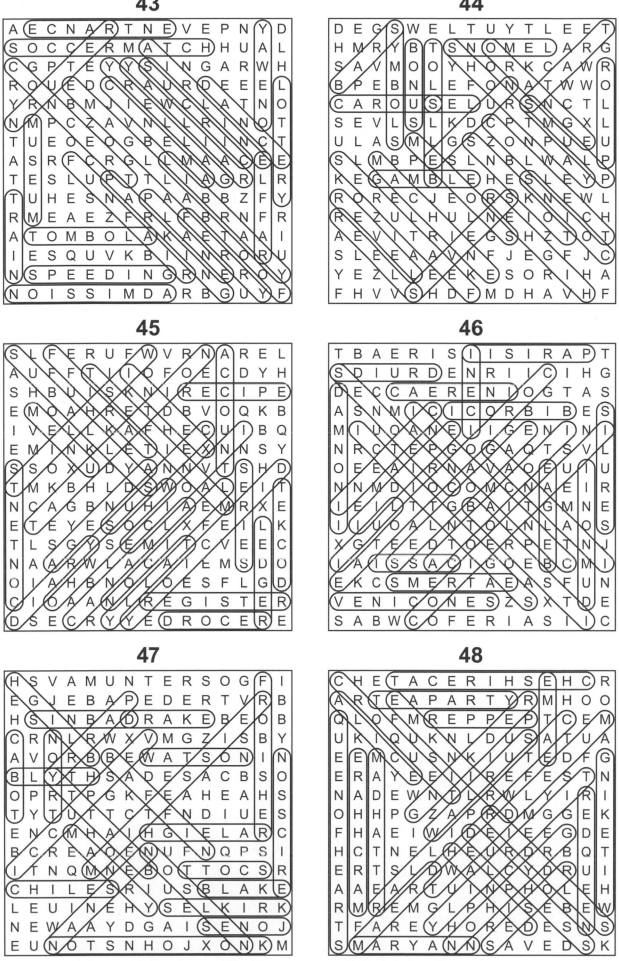

43

```
A E C N A R T N E V E P N Y D
S O C C E R M A T C H H U A L
C G P T E Y Y S I N G A R W H
R O U E D C R A U R D E E E L
Y R N B M J I E W C L A T N O
N M P C Z A V N L L R I N O T
T U E O E O G B E L I I N C T
A S R F C R G L I M A A C E E
T E S L U P T T L I A G R L R
T U H E S N A P A A B B Z F R
R M E A E Z F R L F B R N F R
A T O M B O L A K A E T A A I
I E S Q U V K B I I N R O R U
N S P E E D I N G R N E R O Y
N O I S S I M D A R B G U Y F
```

44

```
D E G S W E L T U Y T L E E T
H M R Y B T S N O M E L A R G
S A V M O O Y H O R K C A W R
B P E B N L E F O N A T W W O
C A R O U S E L U R S N C T L
S E V L S L K D C P T M G X L
U L A S M L G S Z O N P U E U
S L M B P E S L N B L W A L P
K E G A M B L E H E S L E Y P
R O R E C J E O R S K N E W L
R E Z U L H U L N E I O I C H
A E V I T R I E G S H Z T O T
S L E E A A V N F J E G F J C
Y E Z L U E E K E S O R I H A
F H V V S H D F M D H A V H F
```

45

```
S L F E R U F W V R N A R E L
A U F F T I O F O E C D Y H
S H B U I S K N I R E C I P E
E M O A H R E T D B V O Q K B
I V E L L K A F H E C U I B Q
E M I N K L E T I E X N N S Y
S S O X U D Y A N N V T S H D
T M K B H L D S W O A L E I T
N C A G B N U H I A E M R X E
E T E Y E S O C L X F E I L K
T L S G Y S E M I T C V E E C
N A A R W L A C A I E M S D O
O I A H B N O L O E S F L G D
C I O A A N L R E G I S T E R
D S E C R Y Y E D R O C E R E
```

46

```
T B A E R I S I I S I R A P T
S D I U R D E N R I I C I H G
D E C C A E R E N O G T A S
A S N M I C I C O R B I B E S
M I U O A N E I I G E N I N I
N R C T E P C O G A Q T S V L
O E E A I R N A V A O E U I U
N N M D I O C O M C N A E I R
I E I L T T G B A I T G M N E
I L U O A L N T O L N L A O S
X G T E E D T O E R P E T N J
L A I S S A C I G O E B C M I
E K C S M E R T A E A S F U N
V E N I C O N E S Z S X T D E
S A B W C O F E R I A S I I C
```

47

```
H S V A M U N T E R S O G F I
E G J E B A P E D E R T V R B
H S I N B A D R A K E B E O B
C R N L R W X V M G Z I S B Y
A V O R B B E W A T S O N I N
B L Y T H S A D E S A C B S O
O P R T P G K F E A H E A H S
T Y T U T T C T F N D I U E S
E N C M H A I H G I E L A R C
B C R E A O E N U F N Q P S I
I T N Q M N E B O T T O C S R
C H I L E S R I U S B L A K E
L E U I N E H Y S E L K I R K
N E W A A Y D G A I S E N O J
E U N O T S N H O J X O N K M
```

48

```
C H E T A C E R I H S E H C R
A R T E A P A R T Y R M H O O
Q L O F M R E P P E P T C E M
U K I Q U K N L D U S A T U A
E E M C U S N K I U T E D F G
E R A Y E E I R E F E S T N
N A D E W N T L R W L Y I R I
O H H P G Z A P R D M G G E K
F H A E I W I D E I E E G D E
H C T N E L H E U R D R B Q T
E R T S L D W A L C Y D R U I
A A E A R T U I N P H O L E H
R M R E M G L P H I S E B E W
T F A R E Y H O R E D E S N S
S M A R Y A N N S A V E D S K
```

Solutions

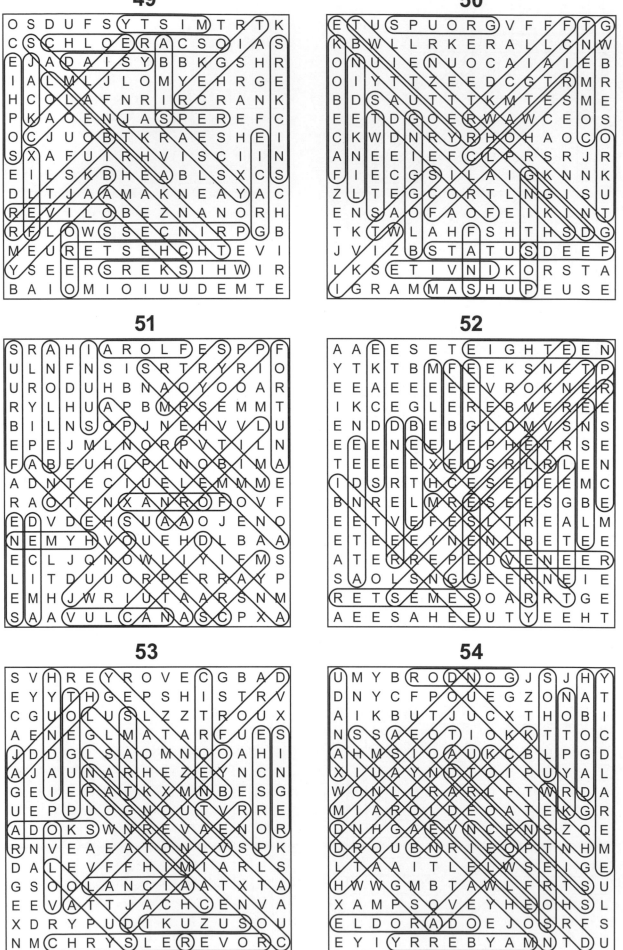

146

Solutions

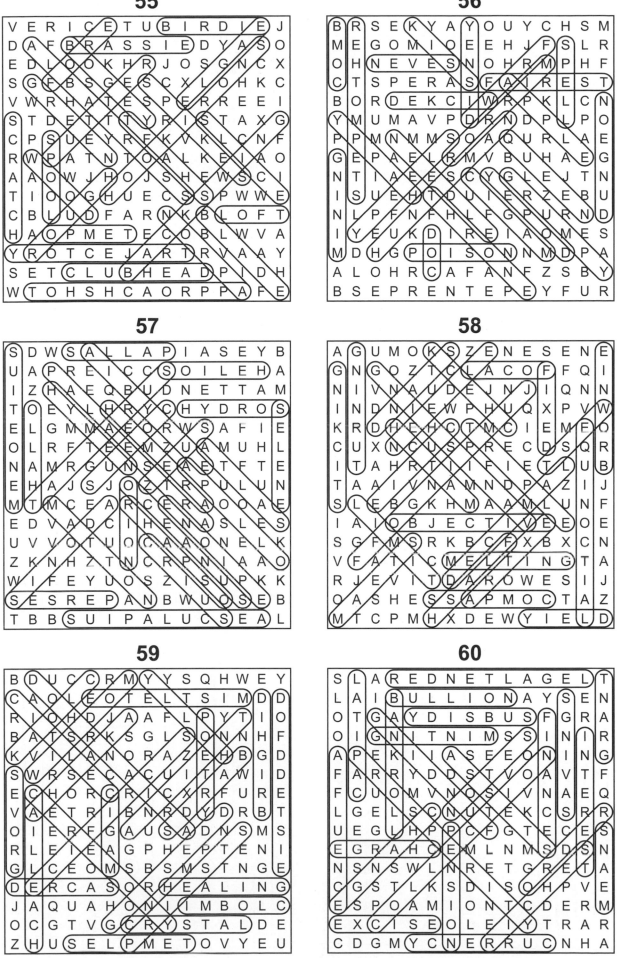

147

Solutions

61

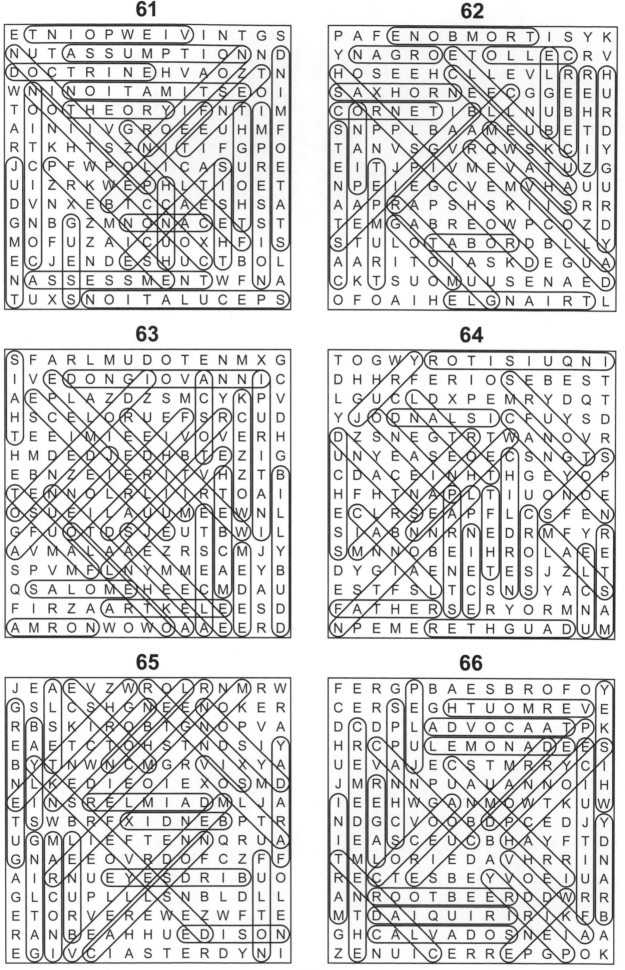

62

63

64

65

66

Solutions

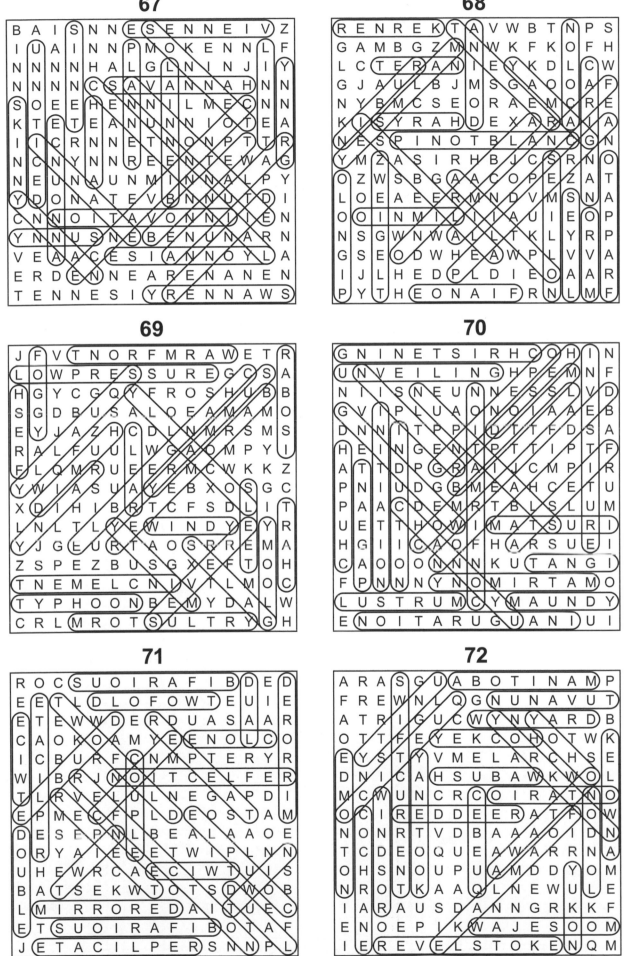

67

68

69

70

71

72

Solutions

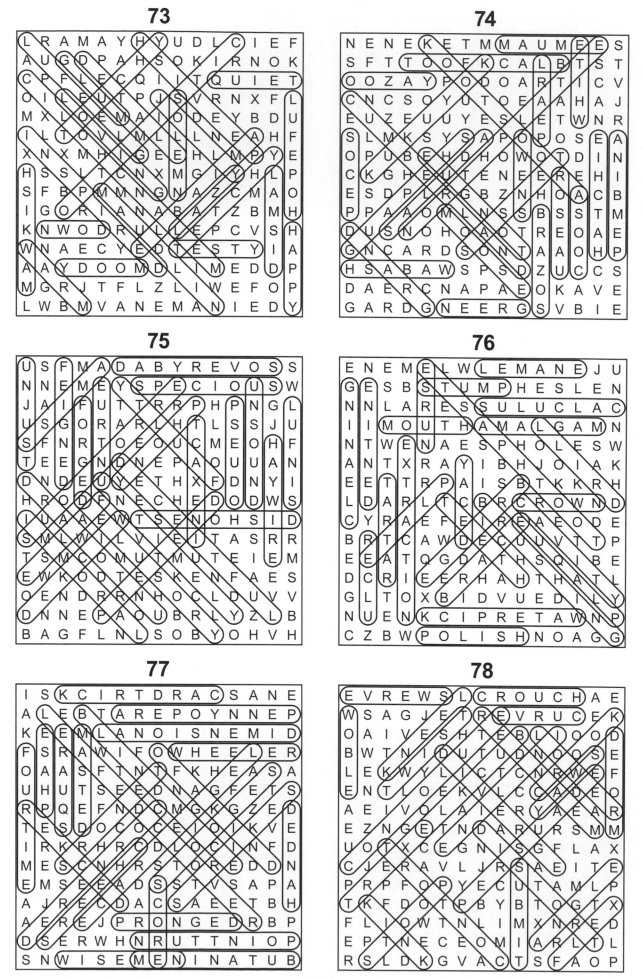

Solutions

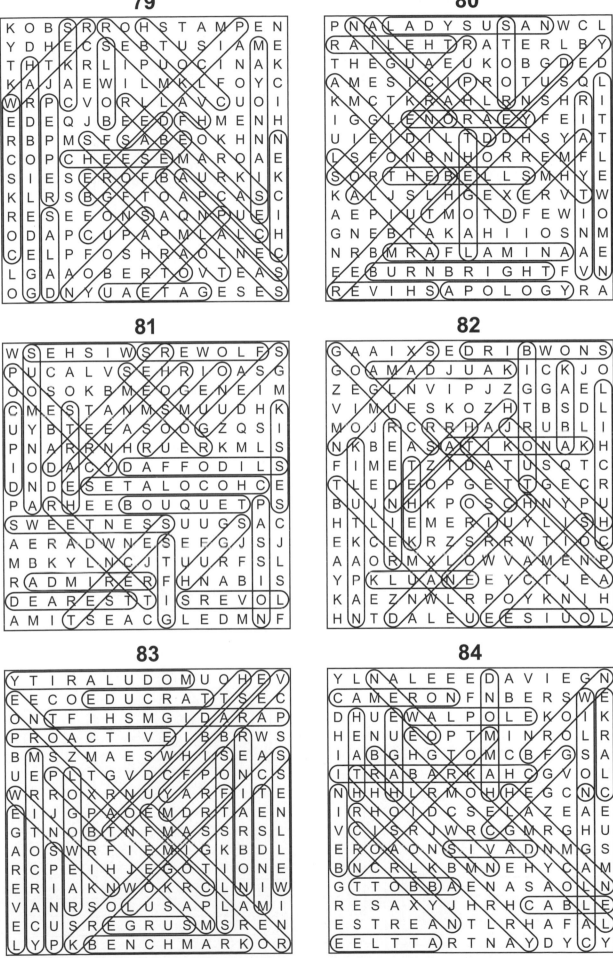

79

80

81

82

83

84

Solutions

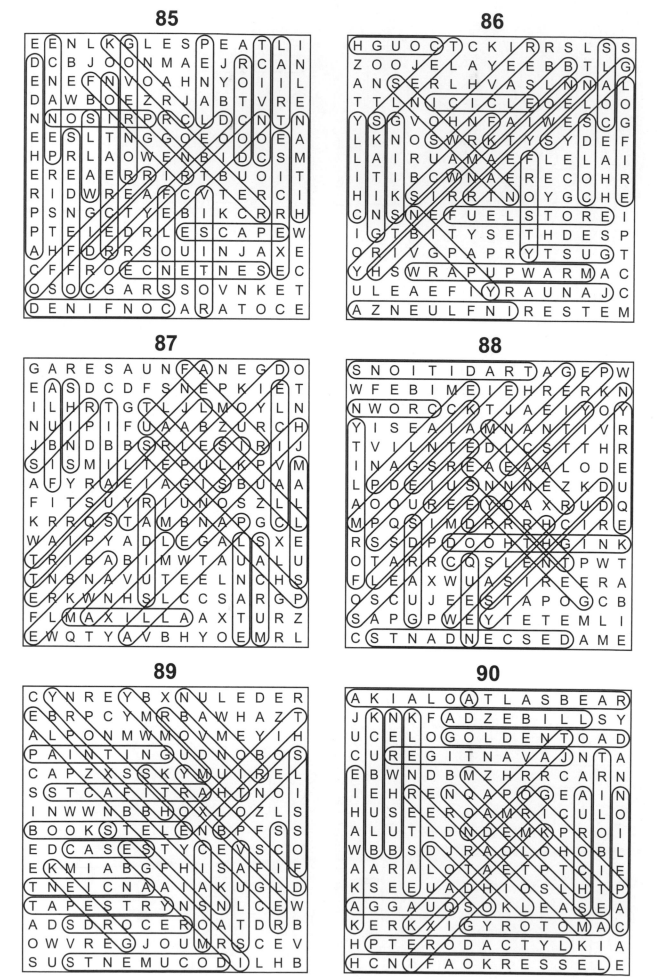

85

86

87

88

89

90

Solutions

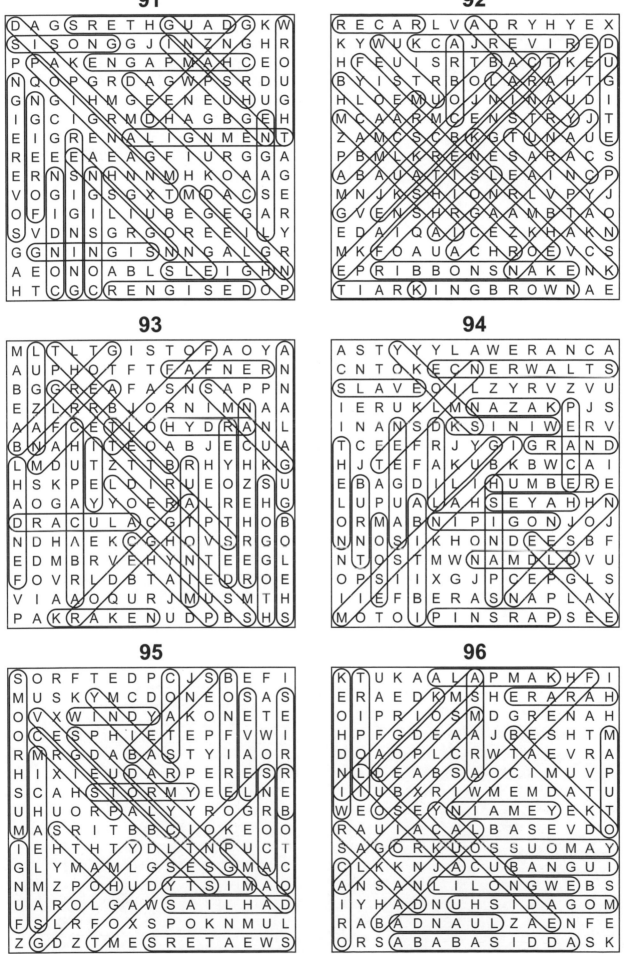

91

92

93

94

95

96

Solutions

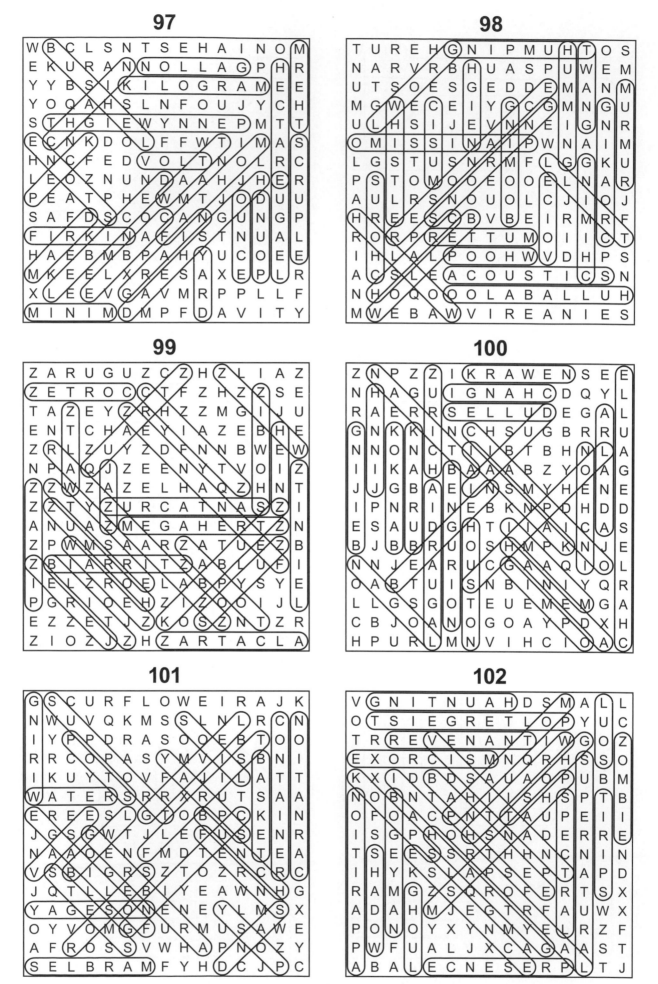

154

Solutions

103

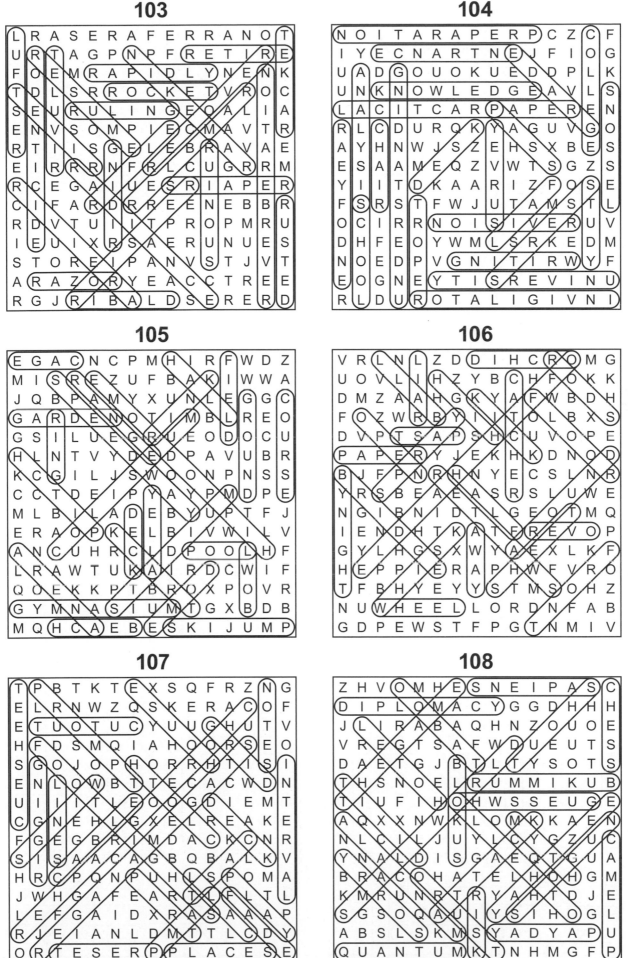

104

105

106

107

108

Solutions

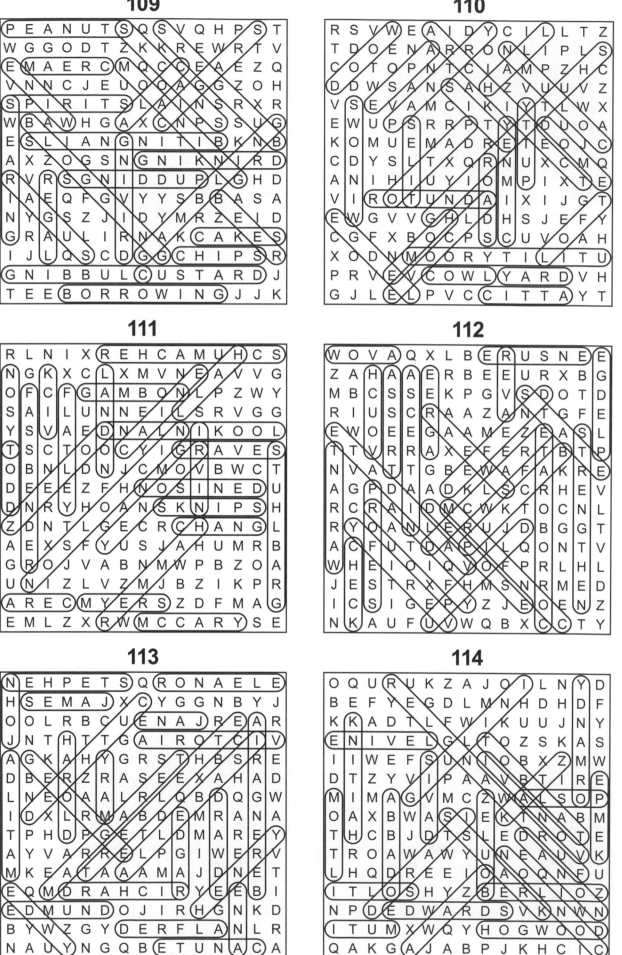

Solutions

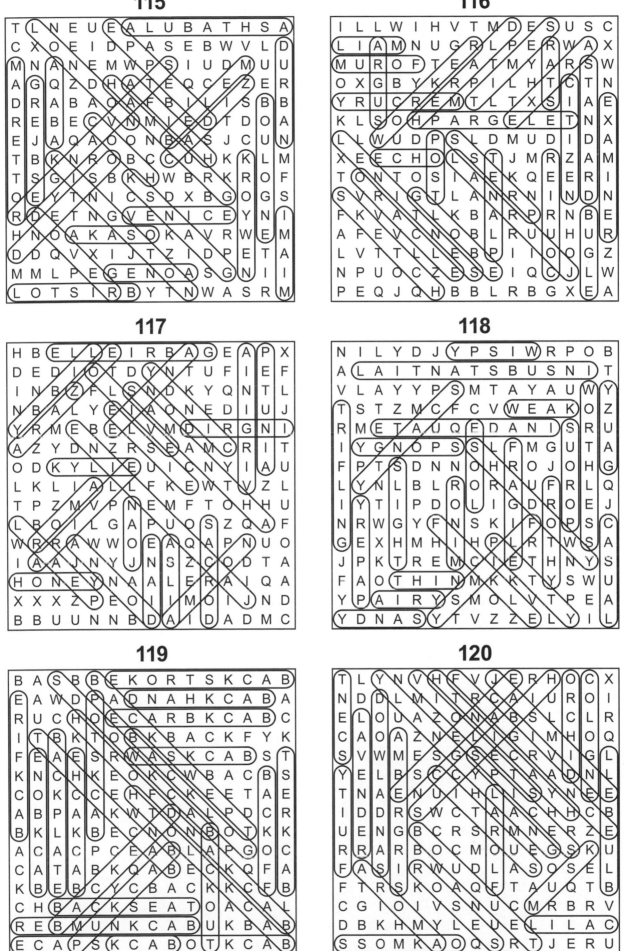

157

Solutions

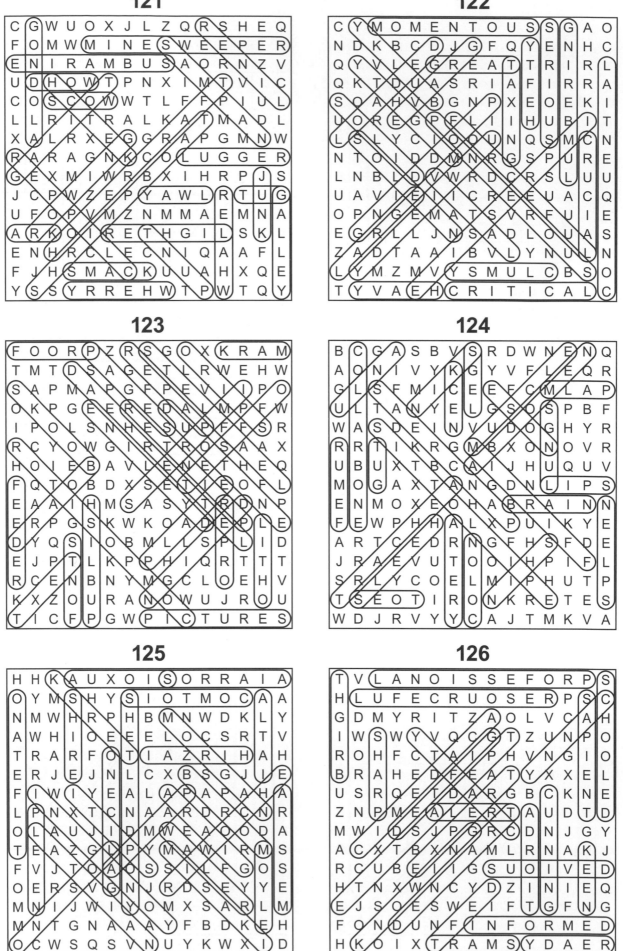

Solutions

127

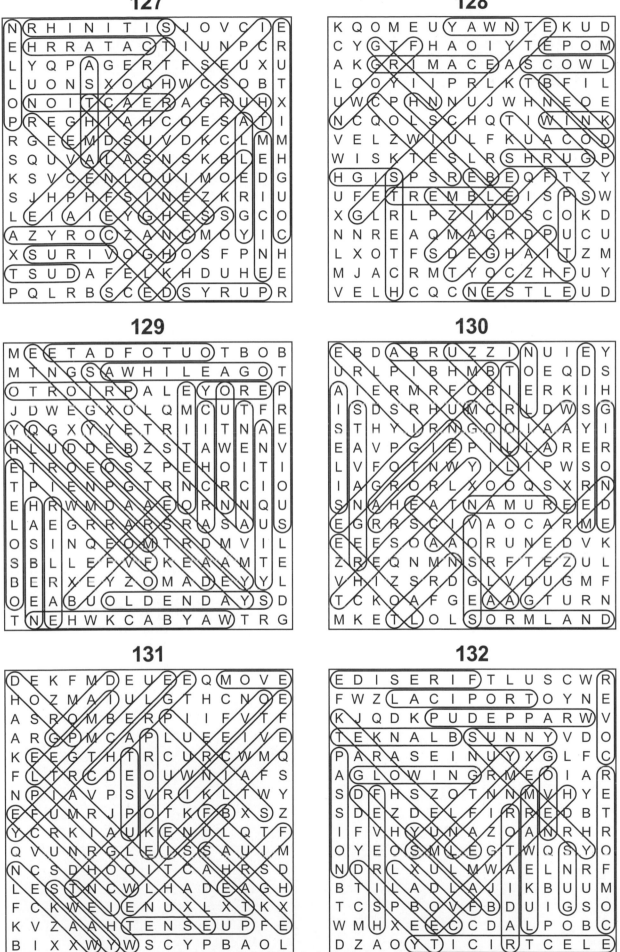

128

129

130

131

132

Solutions

133

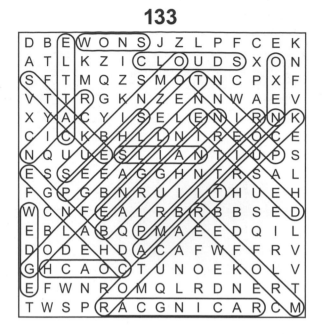